Socialisten

Socialisten 2.0

Waarom socialisten toch aardige mensen zijn

MEI LI VOS

Als kind, nog onwetend, onnozel en niet gehinderd door al te veel kennis, meende ik dat socialisten aardige mensen waren. Vanwege mijn opvoeding kende ik al wel de betekenis van het woord sociaal. En meende dus dat socialisten aardige mensen waren die rekening hielden met andere mensen, net zoals ik dat geacht werd te doen in het sociale verkeer. Met twee woorden spreken, geen windjes laten en oudere mensen met u aanspreken. Als je het ruim bekijkt is dat natuurlijk ook zo, socialisten zijn mensen die aardig zijn voor andere mensen, omdat ze vinden dat iedereen recht heeft op welvaart en zeggenschap.

Later, veel later, leerde ik dat socialisten heel aardig zijn voor mensen in het algemeen, maar niet voor hun naasten. Die laten ze vallen als bakstenen, benaderen ze horkerig en vergeten ze zodra ze uit het blikveld zijn verdwenen. Nee, dan de liberalen. Asociaal naar mensen toe die ze niet kennen, maar oh zo aardig voor hun directe naasten.

Inmiddels, als professioneel erfgenaam van de socialisten, namelijk Tweede Kamerlid namens de sociaaldemocraten, weet ik dat de wereld wat ingewikkelder in elkaar zit dan alleen maar aardig zijn voor vreemden of je naasten. Sociaaldemocraten heden ten dage worstelen met de vraag naar wie we sociaal moeten zijn, hoe en of we dat wel goed doen. We worstelen tussen belangenbehartiging van de mens als consument en de mens als werknemer. De mens als Nederlander, of de mens als iemand met onvervreemdbare rechten, ongeacht de geboorteplaats. De mens met de lage inkomens, of de mens met de middeninkomens. De mens als moslim, of de mens als staatsburger met heilige plichten vanwege de grondwet. Tussen het midden en de flanken. Tussen Pronk of Bos. De sociaaldemocraten worstelen vooral met de vraag wat we nog te betekenen hebben in een land waar de meeste mensen huis en haard hebben, heel geëmancipeerd precies weten wat ze willen en wat niet en werknemers beschermd zijn tegen het grootkapitaal vanwege de wet op de CAO.

Er is echter nogal wat veranderd en verbeterd sinds de socialisten zich organiseerden. Als 1900 t = 0, dan zijn we nu bij t = 108, in één eeuw toch een eind opgeschoten. Kinderarbeid bestaat niet meer, iedereen kan naar school, mensen komen niet meer om van de honger, er is een minimumloon, de inkomensgelijkheid is drastisch verminderd en het feit dat je arme ouders hebt hoeft niet meer automatisch te betekenen dat je zelf ook arm blijft. De onrechtvaardigheid en ongelijkheid in de samenleving is door de socialisten bestreden vanuit het ideaal dat iedereen recht heeft op een waardig bestaan, inkomen naar werk en inspraak. Socialisme, emancipatie en democratie gingen hand in hand; in de ideale samenleving van de socialisten kreeg iedereen wat hem of haar toekwam, door zeggenschap over het eigen leven. Als je een socialist uit t = 0 zou vragen of de doelen zijn bereikt, dan hoeven we hem alleen maar mee te nemen naar een gemiddelde koopzondag en hij zal tevreden constateren dat de doelen zijn bereikt. Het is klaar, af, picobello; wat de socialisten nog rest is de boel bij elkaar houden en op de tent passen.

Maar zo simpel is het niet. Terwijl de socialisten druk doende waren hun ideale samenleving te creëren, veranderde die samenleving en haar omgeving even hard. Nederland was al voor het Nederland was een mondiaal georiënteerd land, niet in de laatste plaats omdat we hier niet veel meer hadden dan wat aardappelen, koeien en later een gasbel. De verbondenheid en afhankelijkheid van andere samenlevingen en economieën is alleen maar sterker geworden.

De veranderingen binnen Nederland leiden tot meer hoofdbrekens voor de socialisten. De samenleving zoals die werd geschetst in de eerste beginselprogramma's is dermate veranderd dat de principes van gelijkheid, solidariteit en vrijheid lege begrippen lijken. Gelijkheid is ontzettend vervelend als je in de rij moet staan voor het loket net als ieder ander. Je verdedigt een premieverhoging voor de zorgverzekering niet meer zo makkelijk met een verwijzing naar solidariteit. De vrijheid van een ander om zijn mening luid en duidelijk te geven voelt niet echt als die heerlijke vrijheid van de jaren zestig en zeventig.

We hebben ook ontdekt dat de principes niet eenvoudig middels een paar beleidsmaatregelen te realiseren zijn. Beleid heeft vaak neveneffecten die precies het tegenovergestelde bewerkstelligden. De desastreuze effecten van goedbedoeld beleid om kinderen eerlijke kansen te geven werden pijnlijk duidelijk geschetst in het rapport van de onderzoekscommissie Dijsselbloem. Door kinderen gelijk onderwijs te geven, werd de ongelijkheid groter. Sommige kinderen hebben nu eenmaal een andere en intensievere vorm van onderwijs nodig dan andere. Of denk aan de werknemersverzekeringen. Hartstikke sociaal om samen verplicht risico's te delen en premies te heffen. We kregen een hecht uitkeringsstelsel dat je verzekerde voor ziekte, werkloosheid en arbeidsongeschiktheid. Maar de beleidsmakers van destijds hadden er geen rekening mee gehouden dat de uitkeringen ook wel eens konden leiden tot permanente uitstoot van de arbeidsmarkt, langdurige armoede en eenzaamheid.

In sommige gevallen leidde het bereiken van een doel ook tot effecten in andere sectoren, die niet even prettig waren voor iedereen. We zijn veel efficiënter gaan produceren, door steeds beter technologische vernieuwingen toe te passen. Zo kwam er minder arbeidsintensief werk, meer werk in de dienstverlening voor met name de beter opgeleide bevolking, de arbeidsproductiviteit steeg en we werden uiteindelijk rijker. Dat leidde er wel toe dat werk waar je weinig opleiding voor nodig had, minder werd gewaardeerd en betaald. Was vroeger de postbode een beroep dat redelijk hoog op de sociale status ladder stond en waarmee je als kostwinner zowel een huis kon kopen als een familie kon onderhouden. Door de ontwikkeling in technologie is het nu een eenvoudige bezigheid geworden die als bijverdienste kan worden gedaan. Die veranderde productiewijze leidde er ook toe dat sommige beroepen verdwenen. Martin Schouten interviewde ooit eens vijftig mensen over hun werk. Een interview met een letterzetter, een beroep dat sinds de uitvinding van andere druktechnieken verdween, illustreerde pijnlijk prachtig hoe iemand zijn identiteit en omgeving verloor door een veranderde productiewijze. De man was woedend en vertrouwde er voor geen cent in dat de nieuwe technologie tot betere kranten kon leiden. Ook was hij zeer teleurgesteld in zijn vakbond, die niet had weten te voorkomen dat zijn beroep uitstierf.

Daar sta je dan als socialist. In een wereld die blijft veranderen, voor mensen die gewoon bang zijn voor hun baan, bang zijn om de leuke collega's te verliezen, die zichzelf helemaal opnieuw moeten uitvinden willen ze nog via betaalde arbeid een inkomen verdienen. Toch hebben de leidende principes van de socialisten, gelijkheid, vrijheid en solidariteit niets aan waarde ingeboet. Ze blijven de principes waarop de ideale samenleving van een socialist is gebouwd. Belangrijker nog, die samenleving is er nog lang niet. Er zijn immers nieuwe ongelijkheden, groepen voor wie vrijheid om zelf te bepalen hoe je wilt leven en denken niet zo vanzelfsprekend is, groepen die evenveel recht hebben op zekerheid, via betaald werk, een huis, energie of een omgeving die niet bedreigd wordt door een stijgende zeespiegel.

Socialisten in de 21e eeuw hebben dus genoeg te doen. De vraag nu is of dat via de weg van behouden van het goede is, een conservatieve agenda, of via de weg van verandering en het creëren van nieuwe machtsevenwichten, de progressieve agenda. Ikzelf denk dat alleen via de progressieve weg je de oude idealen kunt verwezenlijken. Behouden van het goede sluit immers nieuwe groepen uit. Een duidelijk voorbeeld is de woningmarkt.

Het 'goede' van vroeger is de hypotheekrenteaftrek, zodat veel mensen bezit konden verwerven, en het huurbeleid, dat huurhuizen betaalbaar hield voor minder draagkrachtigen. Het netto-effect van het beleid, dat het oorspronkelijk goed deed, is dat huizen zo duur zijn geworden dat nieuw-komers weinig kans hebben op een goed huis. Hetzelfde gaat op voor de huurhuizen. Als mensen ooit met een laag inkomen, aan het begin van hun loopbaan een goedkoop huurhuis kregen toegewezen, is er geen enkele prikkel meer om een huis te zoeken dat duurder is en meer bij hun nieuwe hogere inkomen past. In Amsterdam zijn er bijvoorbeeld veel meer sociale huurwoningen dan dat er lage inkomens zijn. De doorstroming is geheel gestagneerd. We kennen allemaal de verhalen over de mensen die allang een tweede huis in Frankrijk hebben, maar nog wel hun goedkope huurwoning uit hun studententijd aanhouden. Echte socialisten durven te breken met dit beleid en zoeken naar nieuwe manieren om het oorspronkelijke doel van het woningmarktbeleid te realiseren, namelijk huren betaalbaar houden voor de mensen die echt niet veel kunnen betalen. Maar een conservatieve stroming houdt elke verandering tegen, omdat ze mensen met verworven woonrechten niet willen benadelen.

Eenzelfde probleem is er op de arbeidsmarkt. Het goede van een vaste baan is voor een groot deel van de Nederlandse werknemers een feit, maar voor een groeiend deel niet meer. Zij werken op tijdelijke contracten, in uitzendbanen, of moeten voor zichzelf beginnen omdat ze vanwege hun exotische naam en de vooroordelen die daarbij horen geen kans maken om als werknemer aan de slag te gaan. Een kwart van de Nederlandse beroepsbevolking heeft alle onzekerheden, van snel ontslag zonder ontslagvergoeding, pensioengaten en hoge kans op tijdelijke werkloosheid en de overige driekwart niet. Als je kijkt naar wie er in het ongelukkige kwartiel terechtkomen, dan zijn dat in toenemende mate lager opgeleiden, oudere werkzoekenden, allochtonen en vrouwen. De zekerheid van de een wordt betaald door de onzekerheid van de ander, want werkgevers blijven behoefte houden aan flexibel inzetbaar personeel. De uitdaging voor de socialisten is te zoeken naar een beter evenwicht. Socialisten moeten strijden voor eerlijke kansen voor iedereen om een goede positie op de arbeidsmarkt te veroveren. Plannen genoeg, daar niet van. Ze variëren van Flexicurity arrangementen, levenslang leren en loonkostensubsidies, tot betere begeleiding van werk naar werk. Maar het streven naar een eerlijker arbeidsmarkt wordt op dit moment gestuit door twee conservatieve stromingen. Een die vasthoudt aan het eenzijdig versoepelen van het ontslagrecht, dat zal leiden tot een nog grotere tweedeling. Ouderen en mensen met een vlekje liggen er dan als eerste uit, met weinig kansen voor ander werk. En de andere conservatieve stroming bestempelt elke verandering als verslechtering. Ik noem dat niet sociaal, maar asociaal, omdat deze benadering zoveel mensen aan de kant laat staan. Echte socialisten zoeken naar die veranderingen die het evenwicht in zekerheden weer herstelt voor alle groepen.

De grootste ongelijkheid waar de socialisten hun tanden in dienen te zetten is echter de verkleuring van kansarmoede. Armoede, een laagopleidings- niveau, gebrek aan inspraak, steeds vaker komt dat voor onder de niet- westerse allochtonen, de traditionele immigranten en hun gezinnen. De kansarmoede, discriminatie en verouderde denkbeelden over mannen en vrouwen zijn niet alleen vervelend voor die groepen zelf, maar uiteindelijk ook voor onze samenleving. Als we niets doen om die groepen erbij te halen, te emanciperen, dezelfde kansen te geven via onderwijs als de gevestigde belangen in Nederland, dan kan de zaak in tweeën uit elkaar vallen. Maar ook zonder die dreiging vind ik het logisch dat socialisten in deze eeuw zich inzetten tegen de nieuwe ongelijkheden. Discriminatie, weinig zeggenschap en kansarmoede zijn precies die zaken waar socialisten altijd tegen hebben gestreden. Het is hun bestaansrecht. Die strijd hebben de socialisten niet alleen binnen ons land, maar ook daarbuiten gestreden; socialisten zongen immers altijd uit volle borst 'de Internationale' mee. Democratie, gelijkheid en solidariteit waren idealen waar iedereen, ongeacht waar hij of zij geboren was, recht op had. Socialisten 2.0 hebben wat mij betreft een zeer volle agenda als het gaat om het bestrijden van kansarmoede en discriminatie bij deze groep Nederlanders.

De Marxist Lenin vroeg zich rond 1900 af wat de socialisten te doen stond. Dat lijkt me ook nu weer een zinnige vraag. Afgezien van het oplossen van de concrete problemen in ongelijkheid zoals ik die hierboven heb geschetst, zouden socialisten van nu ook weer eens goed moeten nadenken waarom de ene helft van de socialisten het woord democratie achter hun naam plakte. De sociaaldemocraten geloofden dat alleen via de democratische weg, dus invloed voor en door iedere burger, ons dichter bij het heil zouden brengen. Dat vergde eerst wat strijd om het kiesrecht voor iedereen, later inspraak in allerhande gremia. Democratie is een lastig en tijdrovend proces, maar kan wel garanderen dat alle belangen een stem hebben. Dus ook de belangen van mensen die op achterstand staan. Socialisten anno nu zouden zich moeten inzetten om al die belangen die weinig invloed hebben, een stem te geven. Door het sterker maken van bijvoorbeeld allochtone vrouwen. Door nieuwe vormen van organisatie van die groepen mogelijk te maken. Door veel meer in te zetten op emancipatie en onderwijs, van vrouwen, van allochtonen, van de nieuwe armen.

Een aantal jaren geleden heb ik met een aantal geestverwanten geprobeerd met de oprichting van een nieuwe vakbond de outsiders in de overleg-economie een stem te geven. Niet zozeer omdat we de gevestigde vakbonden van hun troon wilden stoten, maar wel om evenredige belangenbehartiging en emancipatie van de flexwerkers en zelfstandigen te bewerkstelligen. Dat werd ons niet in dank afgenomen. Hoewel ze een aantal van onze agendapunten overnamen, sloten de gevestigde belangen de rijen. Van een nieuw geluid en een nieuwe organisatie was men niet gediend. Nu staat het georganiseerd overleg niet synoniem voor de socialistische beweging, maar het past wel bij de socialisten de vorming van nieuwe emancipatiebewegingen toejuichen. Socialisten zijn niet bang voor verandering in het machtsevenwicht. Socialisten juichen het toe als mensen zich organiseren en zich willen ontworstelen uit de oude vormen en gedachten.

Ja, die strijd zal soms betekenen dat mensen die het al wel goed hebben en op de plekken van invloed zitten wat opzij moeten schuiven en plaats moeten geven aan de nieuwe groepen. Dat doet pijn. Ontegenzeggelijk, net zoals het de grootkapitalisten en adel destijds pijn moet hebben gedaan dat zij wat van hun invloedrijke posities en rijkdom moesten inleveren. Vandaar ook dat socialisten niet altijd even aardig zijn voor hun directe naasten. Uit de aard van hun strijd voor gelijke kansen voor iedereen houden ze zich immers meer bezig met de verre naasten, de nieuwe naasten, de naasten die nog niet in ons clubje zitten. Maar wat zou het mooi zijn als de socialisten 2.0 ook een beetje aardiger zijn voor elkaar.

Het Socialisten Boek toont ons dat verleden van de eerste socialisten en hun strijd voor die idealen. Wellicht dat het lezen ervan dat verantwoordelijkheidsgevoel weer naar boven brengt. Even afstoffen en wat moderniseren voor de toekomst, voor de socialisten 2.0. Of zoals in de tekst van 'de Internationale' staat: "Sterft gij oude vormen en gedachten, slaafgeboor'nen, ontwaakt, ontwaakt!"

Mei Li Vos is lid van de Tweede Kamer namens de Partij van de Arbeid

Uit de nesten. Ontwikkelingen tot 1945

JANNES HOUKES

De socialistische beweging is een bonte verzameling van stromingen die allemaal streven naar een andere dan kapitalistische samenleving. Tot mei 1940 is de SDAP de grootste socialistische partij. Belangrijke strijd wordt gevoerd voor het algemeen kiesrecht en de achturige werkdag. Het algemeen kiesrecht blijkt echter geen garantie voor meer stemmen. Slechts mondjesmaat kan de SDAP zijn stempel drukken op de lokale en nationale politiek. In de grote steden verschijnen markante wethouders van sociaaldemocratische huize. In tijden van crisis, zoals het Aardappeloproer, de huurstakingen en het Jordaanoproer, blijkt de SDAP moeite te hebben met het aanvaarden van verantwoordelijkheid. Op het punt van sociale strijd zijn andere socialistische partijen actiever, maar hun aandeel op het politieke toneel blijft, vergeleken bij de SDAP, altijd gering. Pas in 1939 mag de SDAP eindelijk meedoen op landelijk regeringsniveau. Door de Duitse bezetting is dat maar van zeer korte duur. Aan het begin van de bezetting probeert de NSB, zonder succes, de SDAP over te halen zich bij het nationaal-socialisme aan te sluiten.

Waarom is uitgerekend Zwolle de bakermat van de sociaaldemocratie geworden? De aanhangers van het socialisme zijn te vinden in de westelijke steden en op het platteland in het noorden. Zwolle ligt dan heel centraal. In dit gebouw van de Automobiel Maatschappij huist in 1894 ook hotel-dancing Atlas, en daar komen de sociaaldemocraten van het eerste uur bijeen om, onder geringe belangstelling, de

Sociaal-Democratische Arbeiderspartij (SDAP) op te richten. De SDAP is een afsplitsing van de Sociaal-Democratische Bond, nadat die besloten heeft om niet langer aan parlementaire verkiezingen deel te nemen. Een aantal scheurmakers, spottend 'de twaalf apostelen' genoemd, besluit daarop een nieuwe partij te stichten die wél mee wil draaien in het politieke bestel.

De eerste politieke telg van de socialistische beweging, de Sociaal-Democratische Bond van Domela Nieuwenhuis, ontstaat in 1882 en raakt op leeftijd in steeds radicaler vaarwater. Op het kerstcongres van 1893 besluit de SDB "onder geen voorwaarden hoegenaamd, ook niet als agitatiemiddel, mee te doen aan verkiezingen." In 1894 verklaart de rechter de SDB tot verboden organisatie. Dit omdat de Bond desnoods onwettige middelen wil inzetten om het socialisme te bereiken. De club van Domela, inmiddels omgedoopt tot Socialistenbond (SB), kiest in 1896 op het congres waar deze foto is genomen, de kant van de anarchisten en stapt uit de Socialistische Internationale. De SB rekt zijn bestaan tot 1900, als de laatste leden zich bij de SDAP aansluiten.

nstaande SDAP-ers Pieter Jelles Troelstra, Gerrit Melchers en Johan Schaper poseren in Veendam met de lokale partijleden Harm Kenther en Fred Pomp. Samen vormen ze het verkiezingsteam van Schaper voor de Tweede Kamerverkiezingen. Schaper zal deze tussentijdse verkiezing in het Groningse kiesdistrict gaan winnen omdat hij met zijn team op campagne gaat, terwijl zijn tegenstander zich daartoe niet geroepen voelt. Sociaaldemocraten zijn in dit Groningse kiesdistrict slechts met een lantarentje te vinden, maar Schaper krijgt de stemmen van de schippers en de kleine boeren. Als Schaper, die het beroep van schilder uitoefent, in de Kamer komt, roept zijn aanhang uit: "Er zitten zoveel kwasten in de Kamer, er mag gerust een verver bij."

Gebouw Constantia aan de Amsterdamse Rozengracht is in opdracht van de Sociaal-Democratische Bond gebouwd. Tal van roemruchte vergaderingen van de socialistische beweging vinden hier plaats. De foto is genomen ter gelegenheid van de laatste bijeenkomst van socialisten, in dit geval die van de Vrije Socialisten Vereeniging. Hierna wordt Constantia verkocht om als rooms-katholieke kerk een tweede leven te beginnen. Achter het spreekgestoelte heeft Domela Nieuwenhuis plaats genomen, naast hem zijn vrouw Johanna en de stokoude Klaas Ris. Ris is de voorman van de hoofdstedelijke socialistische beweging. Hij valt tijdens vergaderingen nogal eens in slaap en roept dan als hij uit zijn dommel opschrikt "Het volk is ontwaakt en de strijd kan beginnen."

Grote beroering brengen in 1903 de spoorwegstakingen. De eerste staking, die op 28 januari uitbreekt, is een spontane solidariteitsstaking onder Amsterdamse havenarbeiders en spoorwegarbeiders. Snel geven de werkgevers toe aan de gestelde eisen. De regering onder leiding van Abraham Kuyper maakt wetgeving om herhaling van de gebeurtenissen te voorkomen. Wetsvoorstellen stellen staken voor ambtenaren en spoorwegpersoneel strafbaar. Als de socialistische beweging begin april de algemene werkstaking tegen deze 'worgwetten' uitroept, loopt dit op een

debacle uit. Stakingsbulletins, hier op de hoek van het Spui en de Kalverstraat in Amsterdam, informeren de bevolking. De regering zet leger en marine in, de staking verloopt binnen enkele dagen en honderden stakers worden ontslagen. De wetten worden in snel tempo door de Kamers geloodst.

De SDAP-federatie Den Haag roept op om de Groninger Kornelis ter Laan in de gemeenteraad te kiezen. Voor de SDAP zijn deze verkiezingen belangrijk omdat het hele land in rep en roer is geweest door de spoorwegstakingen. Nu zal blijken of de partij haar aanhang vast heeft weten te houden. De Groningse onderwijzer delft aanvankelijk het onderspit maar komt in 1905 toch als éénmansfractie in de Haagse raad. Het *Scheveningsche Dagblad* berekent dat hij als raadslid in zes maanden tijd 78 kolommen van de notulen van de raad heeft weten te vullen. Vanwege zijn bestuurlijke kwaliteiten wordt Ter Laan in 1914 de eerste socialistische burgemeester van Nederland. Deze primeur gaat naar Zaandam.

In Nederland kan in 1903 nog lang niet iedereen naar de stembus. Het vrouwelijk deel van de bevolking en een groot deel van de arbeiders is niet gerechtigd een stem uit te brengen. De SDAP, de Vereeniging voor Vrouwenkiesrecht en andere verenigingen ijveren voor de uitbreiding van het algemeen kiesrecht. Eind 1899 coördineren ze de strijd in het Comité voor Algemeen Kiesrecht. Maar afgezien van jaarlijkse kiesrechtbetogingen her en der in het land – hier in Rotterdam – baart dit Comité weinig opzien. De SDAP ziet niet veel in actie voor het stemrecht voor vrouwen zolang het algemeen mannenkiesrecht niet binnen gehaald is. Dat laatste gebeurt pas in 1917, de vrouwen volgen twee jaar later.

Aan de Amstel ligt ook nu nog café De IJsbreker, dat in 1885 zijn deuren opende. In de nieuwe wijk Amsterdam-Oost wonen veel joodse socialisten die het café frequenteren. De buurt valt onder het beroemde 'district 3' waar de SDAP oppermachtig is. De marxisten Sam de Wolff en David Wijnkoop behoren tot de SDAP-ers die forse kritiek hebben op de gematigde opstelling van de partij. Zij uiten die kritiek in het blad *De Tribune*, zodat zij onder de naam 'tribunisten' de geschiedenis in gaan. In 1909 stichten ze een eigen partij, de Sociaal-Democratische Partij (SDP), voorloper van de communistische partij. Op de foto behalve Wijnkoop en De Wolff ook de socialistische uitgever Joep Emmering, Jan de Roode en Marie Heijermans, zus van de toneelschrijver.

De marxistische SDP is een kleine partij met een gedreven leiding, die hier over het congres van 1911 presideert. De man met de volle baard en haardos is voorzitter David Wijnkoop. Tweede van rechts is Willem van Ravesteyn, letterkundige, naast hem zit Sam de Wolff, die als kind het troetelnaampje 'Recht voor Allen' had. De man met strohoed is de beroemde dichter Herman Gorter. Links zitten Louis de Visser, glazenwasser, de latere hoogleraar wiskunde Gerrit Mannoury en Jan Ceton, onderwijzer en vlinderkenner. De partij heeft op dit moment landelijk 505 leden, maar krijgt pas na de Russische Revolutie in 1917 aanhang van enige betekenis. Later veranderd de naam in Communistische Partij Holland.

De in 1894 opgerichte Vereeniging voor Vrouwenkiesrecht krijgt in 1903 Aletta Jacobs als voorzitster. Internationaal slaan de vrouwen de handen ineen in de International Woman Suffrage Alliance. Hier zit Jacobs temidden van de Nederlandse afvaardiging naar het internationaal congres in Stockholm. Er wordt flink genetwerkt en na afloop gaat Jacobs samen met de Amerikaanse vertegenwoordigster op studiereis. Zestien maanden lang bestudeerden ze de situatie van de vrouw, tot in Azië en Afrika toe. In Nederland komt pas in 1919 een einde aan de strijd voor vrouwenkiesrecht.

Wie op Prinsjesdag demonstreert, kan alvast rekenen op flink wat publiek. De SDAP, tot 1911 gewend haar demonstraties en betogingen op zondagen te organiseren, zet in dat jaar in op de derde dinsdag in september. Meer dan 20.000 betogers stromen richting Den Haag om de eis voor algemeen kiesrecht kracht bij te zetten. Voorafgaand aan Prinsjesdag zijn 317.500 handtekeningen opgehaald voor een petitie. Uitgerekend deze Prinsjesdag blijft de koningin weg uit Den Haag en in de troonrede staat geen woord over kiesrecht. De minister-president stuurt een portier om de petitie in ontvangst te nemen. Toch wordt demonstreren op 'Roode Dinsdag' als actiemiddel geslaagd genoemd en blijft het voorlopig gehandhaafd.

Na 1903 verschijnen er binnen de SDAP vrouwenclubs en in 1908 ontstaat de Bond van Sociaal-Democratische Vrouwenclubs. Het is een initiatief van Mathilde Wibaut-Berdenis van Berlekom, die dertig jaar voorzitster blijven zal (hier links op de foto). Ondanks wat interne tegenstand – op een partijcongres van de SDAP worden de vrouwen vergeleken met kippen die aan het kraaien gaan – veroveren de vrouwen een eigen plaats binnen de partij. De Bond ijvert vooral voor vrouwenkiesrecht, maar buigt zich ook over opvoeding en allerlei andere onderwerpen. Tijdens de Eerste Wereldoorlog zet de Bond zich in voor het organiseren van centrale voedselvoorzieningen en wasinrichtingen. En voor de vrede natuurlijk.

SDAP-wethouder Wibaut is in de Eerste Wereldoorlog in Amsterdam verantwoordelijk voor distributie en prijsbeheersing van de levensmiddelen. Vooral de aanvoer van voldoende aardappelen, volksvoedsel bij uitstek, is problematisch. Het gebrek aan en de slechte kwaliteit van aardappelen leidt in juli 1917 tot ernstige ongeregeldheden die een spontaan karakter hebben. Als Wibaut een afvaardiging van arbeidersvrouwen wijst op de ruime aanwezigheid van goedkope rijst krijgt hij te horen: "Als ik mijn vent 's middags rijst voorzet, krijg ik op mijn donder." Wibaut probeert tevergeefs bij de regering extra aardappelen los te krijgen omdat hij ongeregeldheden vreest. Inderdaad plunderen vrouwen opslagplaatsen van waaruit aardappelen worden geëxporteerd naar Engeland en Duitsland. Militairen openen het vuur op de plunderaars en er vallen tien doden en honderd gewonden.

Op 12 december 1917 kondigt de burgemeester van Den Haag vanaf het bordes van het stadhuis een grondwetswijziging aan. Vervolgens beklimt SDAP-leider Troelstra het podium en diep ontroerd verwelkomt hij het algemeen kiesrecht voor mannen. Binnen een jaar moeten nu nieuwe verkiezingen gehouden worden, zo is bij de grondwetswijziging bepaald. De verkiezingen van 1918 brengen de SDAP 22 zetels, een teleurstellend resultaat. De partij heeft na de Russische Revolutie concurrentie ter linkerzijde gekregen en de onvrede onder de bevolking niet op weten te pakken. Het algemeen kiesrecht is er nu eindelijk, maar de SDAP vaart daar niet wel bij.

De revoluties in Rusland in 1917 en in Duitsland in 1918 houden volgens SDAP-leider Troelstra niet halt bij Zevenaar, een plaatsje bij de grens. Hij kondigt in de Tweede Kamer aan dat ook in Nederland de arbeidende klasse de macht binnenkort over zal nemen. Die voorspelling wordt in geen enkel opzicht bewaarheid. De 'vergissing van Troelstra' leidt wel tot de bereidheid van de andere politieke partijen om maatschappelijke verbeteringen zoals de acht-urendag door te voeren. Van revolutie komt niets en aanhangers van het koningshuis organiseren op 18 november 1918 een straf geregisseerde aanhankelijkheidsbetuiging op het Haagse Malieveld. Het door soldaten spontaan uitspannen van de koets met daarin koningin Wilhelmina, prins Hendrik en de negenjarige prinses Juliana, is op het Scheveningse strand geoefend.

De Indische Sociaal-Democratische Vereeniging (ISDV) is in 1914 een schepping van Nederlandse sociaaldemocraten overzee. Onder invloed van de Russische revolutie radicaliseert de vereniging. Te erg volgens sommigen, onder wie de Delftse ingenieur Charles Cramer. Daarom richt hij in 1917 de Indische Sociaal-Democratische Partij op. Het jaar daarop mag Cramer als enige sociaaldemocraat toetreden tot de Volksraad, een adviesorgaan voor het Gouvernement. Hier pleit hij voor een volwaardig parlement voor Indië en méér politieke vrijheid. Gedoemd een roepende in de woestijn te blijven, gaat Cramer in 1923 op groot verlof naar Nederland. Zijn collega's van de ISDP wuiven hem uit (Cramer zittend, derde van links).

Omdat kalken verboden is, gebeurt het vooral in het donker. De gewone leden van de SDAP zetten zich in voor de partij op een manier die nu ondenkbaar zou zijn. De kalkploeg werkt bij nacht en ontij aan de verkiezingspropaganda in 1925 en maakt reclame voor Klaas ter Laan. Ter Laan, getypeerd als 'gortdroge parlementariër' maar ook als 'meeslepende redenaar', gaat één van de 24 zetels bezetten die de SDAP bij de verkiezingen van 1 juli 1925 in de wacht sleept. De partij boekt een bescheiden winst. De confessionele partijen krijgen, bij elkaar opgeteld, twee keer zo veel zetels. Ter Laan geniet nu nog steeds in kleine kring bekendheid als volkskundige en samensteller van het *Nieuw Groninger Woordenboek*.

Een stoet van 80.000 sociaaldemocraten demonstreert voor ontwapening en medezeggenschap in Den Haag. Hier is de Friese delegatie te zien. De SDAP heeft haar opvattingen over medezeggenschap eerder neergelegd in het *Socialisatierapport* van 1920. Daarin wordt voorgesteld het bedrijfsleven in eigendom van de gemeenschap te brengen door onteigening tegen vergoeding. In die gesocialiseerde ondernemingen kunnen geen besluiten worden genomen zonder dat het personeel gehoord wordt. Er komen personeelsraden, waarvoor de vakbeweging de kandidaten stelt die door het personeel gekozen kunnen worden.

De Communistische Partij Holland-Centraal Comité congresseert in de Koop-mansbeurs in Amsterdam. De CPH-CC is in de jaren '20 korte tijd een weinig gevaarlijke concurrent van de al evenmin erg indrukwekkende Communistische Partij Holland. Nadat CPH-partijleider David Wijnkoop bij de Moskouse Communistische Internationale in ongenade gevallen is door zijn eigenmachtige optreden, richt hij in 1926 zijn eigen splinter op. Deze CPH-CC komt in de Amsterdamse gemeenteraad en in de Tweede Kamer. In 1930 herenigen beide partijen zich nadat Wijnkoop onder druk van 'Moskou' in het stof heeft gebeten. Wijnkoop is de derde van rechts op de foto. Tweede van rechts Gerrit van Burink, wiens politieke loopbaan bij de NSB zal eindigen.

Meer dan dertigduizend mensen lopen tijdens de begrafenisstoet van Troelstra achter zijn baar, om hem de laatste eer te bewijzen. Ruim dertig jaar heeft Troelstra de SDAP aangevoerd en ook in de (Tweede) Socialistische Internationale heeft hij een rol van betekenis gespeeld. Zijn begrafenis wordt dan ook een demonstratie van aanhankelijkheid van de voltallige 'rode familie'. De socialistische jeugdorganisatie AJC marcheert met ontrolde vaandels en banieren in de begrafenisstoet. Links lopen de leiders van de AJC, Koos Vorrink en Klaas Toornstra. Vorrink heeft uitgesproken ideeën over de socialistische teraardebestelling: geen onnodige woorden, maar een ingetogen vorm van demonstreren. Noodzakelijk is een rode vlag om de baar te bedekken en de bloemen moeten beslist door kameraden gedragen worden. Natuurlijk is er ook treurmuziek.

In 1931 slaat de economische wereldcrisis toe en voor de stromen werklozen is in Nederland geen enkel sociaal vangnet aanwezig. Na enige weken uitkering uit de werklozenkas van de vakbond rest het Burgerlijk Armbestuur, in Amsterdam omgedoopt tot Maatschappelijk Hulpbetoon. De SDAP, die een zekere verantwoordelijkheid voor de werkloosheidsuitkeringen voelt, probeert die verantwoordelijkheid hier ter gelegenheid van de gemeenteraadsverkiezingen bij de werkgevers te leggen. De afkorting V.B. op de revers van de baas staat voor Vrijheidsbond, een niet al te grote conservatief liberale partij, die de belangen van de werkgevers heet te dienen en de natuurlijke vijand van de SDAP is. In 1931 is de populaire wethouder Monne De Miranda lijsttrekker. De SDAP wint één raadszetel en de Vrijheidsbond verliest er één.

De Middelburgse houthandelaar Floor Wibaut wordt in 1907 voor de SDAP in de Amsterdamse raad gekozen. Het is het begin van een grootse loopbaan in de gemeentepolitiek. Zijn naam is vooral verbonden aan de sociale woningbouw, die hij inventief weet te financieren en waarvoor hij beroemde architecten als H.P. Berlage weet aan te trekken. Bekend geworden is de verkiezingskreet 'Wie bouwt? Wibaut!'. In 1931 trekt hij zich terug uit de gemeentepolitiek. Zijn afscheid wordt hier gevierd met een demonstratie op het Stadhuisplein. De gepensioneerde Wibaut publiceert nadien samen met zijn vrouw Mathilde *Wordend Huwelijk*, een boek over seksualiteit en vrije liefde.

Binnen de SDAP levert een groep linkse socialisten kritiek op de in hun ogen ver-
burgerlijkte partij. Vooral de leiding wordt gebrek aan strijdbaarheid verweten.
In 1932 scheurt de SDAP en ontstaat de Onafhankelijke Socialistische Partij (OSP). Het
lukt de OSP niet een Kamerzetel te behalen. In Gouda bezet Karl van Staal een zetel
voor de OSP in de gemeenteraad, maar daarop is hij niet gekozen. Hij heeft zijn SDAP-
zetel simpelweg een slag naar links gedraaid. Een heikele Goudse kwestie, op de foto
komt een groep Rotterdamse partijgenoten Van Staal een hart onder de riem steken.
Met de OSP zal het nooit echt wat worden, de partij fuseert ten slotte in 1935 met de
Revolutionair-Socialistische Partij tot Revolutionair-Socialistische Arbeiderspartij.

Door de grote werkloosheid komen steeds meer mensen in financiële problemen. In de nieuwe buurten van Amsterdam-West breekt een huurstaking uit
als de huurbaas een dubbeltje huurverhoging doorvoert. De maffers – huurders die
niet meedoen – krijgen het zwaar te verduren. Vooral de communisten zetten zich in
voor de huurstakingen. De SDAP is verantwoordelijk voor de woningpolitiek. Wethouder De Miranda kondigt dan ook in 1933 een voorstel af om de huurstijgingen te
beheersen. Er zijn men-
sen die het woonpro-
bleem eenvoudiger
oplossen. Vanwege het
overschot aan wonin-
gen verhuren huurba-
zen hun huizen soms de
eerste drie maanden
gratis, met bovendien
een nieuw behangetje.
Veel gezinnen verhui-
zen dus om de drie
maanden.

In 1904 sluit de dan achttienjarige Willem Drees zich aan bij de SDAP. Hij doorloopt een lange carrière in de Haagse gemeentepolitiek, waar hij al veel aanzien verwerft door zijn zakelijke en nauwgezette optreden. Bij de verkiezingen van 1933 wordt Drees in de Tweede Kamer gekozen. Drees betoont zich een voorstander van regeringsdeelname van de SDAP. In 1939 wordt die wens verwezenlijkt. Drees wordt fractievoorzitter als J.W. Albarda minister wordt in het eerste kabinet waaraan de SDAP deelneemt. De carrière van Drees als 'de wethouder van Nederland' kan beginnen.

De SDAP-ers van het eerste uur raken aardig op leeftijd. In 1935 stelt de SDAP zelfs een leeftijdsgrens, partijgenoten ouder dan 65 jaar moeten hun functies opgeven en plaats maken voor de jongere generatie. De Limburgse letterzetter Willem Vliegen, wordt hier (gezeten achter het glas, met zijn vrouw) wegens vijftig jaar trouwe dienst aan de beweging gehuldigd. Vliegen is zijn wilde haren kwijt. Als jongeling verspreidde hij recepten voor dynamiet en rustte hij partijleden uit met revolvers. In 1933 verzet hij zich tegen plannen om een paramilitaire ordedienst tegen het opkomende fascisme in het leven te roepen. Vliegen schrikt terug voor een oorlogszuchtige uitstraling en vindt bovendien dat de staat, niet de partij de fascisten moet beteugelen.

In 1934 komt er steunverlaging voor de werklozen. Actiecomités van werklozen organiseren verzet tegen wat zij steunroof noemen. In Amsterdam trekken op 4 juli werklozen in optocht door de stad. De SDAP neemt afstand van de onrust, maar kleine partijen ter linkerzijde proberen de politieke leiding te nemen van het spontane verzet. Maar dat lukt niet en er breekt een volksoproer uit en er worden, vooral in de Jordaan, barricades opgeworpen. Het geweld escaleert en de politie opent het vuur. De eerste dode is Jan Gerressen van de Onafhankelijke Socialistische Partij. In de Jordaan kan de politie de orde niet handhaven en leger en mariniers rukken met pantserauto's op en slaan de opstand met harde hand neer. Er vallen vijf doden en honderden gewonden.

„Und wenn sie uns in Bande werfen —
wir sind da und wir bleiben da —
und die Zukunft wird unser sein!"
Karl Liebknecht

Diergaarde Blijdorp in Rotterdam biedt onderdak aan het oprichtingscongres van de Revolutionair-Socialistische Arbeiderspartij. De RSAP is een moeizame fusie tussen de Revolutionair-Socialistische Partij (RSP), een partij van dissidente communisten, en de Onafhankelijke Socialistische Partij (OSP), gevormd door uitgetreden SDAP-ers. Binnen de kortste keren breekt ruzie uit. Het OSP-segment, onder leiding van Franc van der Goes, zegt de partij al gauw vaarwel en voorzitter P.J. Schmidt keert weer terug naar zijn SDAP. Henk Sneevliet wordt zijn opvolger. De RSAP manifesteert zich vooral bij werklozen-acties en demonstraties tegen fascisme en oorlog. Aan de vooravond van de Duitse bezetting heft de partij zich op en gaat verder als Marx-Lenin-Luxemburg Front het verzet in.

Op 14 december 1931 wordt de Nationaal-Socialistische Beweging (NSB) opgericht door Anton Mussert en zijn tweede man Cees van Geelkerken. De laatste is de bedenker van de partijgroet 'Houzee!' De NSB wil geen klassieke politieke partij zijn en noemt zich daarom Beweging. De beweging appelleert aan de grote werkloosheid en crisis in het land. De NSB doet mee met de Provinciale Statenverkiezingen van 1935. Antisemitische programmapunten ontbreken dan nog. In 1935 stemt bijna acht procent van de kiezers NSB. Bij de Tweede Kamerverkiezingen in 1937 zakt het stemmental tot 4,7 procent om bij de volgende Statenverkiezingen op 3,9 procent van de stemmen uit te komen. Een voor de beweging weinig bemoedigende ontwikkeling, die door de oorlog gekeerd wordt.

Nu nog herinneren de grote woningcomplexen in Amsterdam Zuid en West aan Monne De Miranda, jarenlang wethouder en voorman van de sociaaldemocratie in de hoofdstad. De Miranda laat ook was- en badhuizen bouwen. 'Wil je baaje, wil je sjwemme, dan moet je De Miranda sjtemme!' luidt in 1931 de verkiezingsleus van de SDAP. Het Amstelparkzwembad wordt later naar hem vernoemd. Hier opent De Miranda (de kleine man zonder hoed) het Zuiderpark, resultaat van een tweejarig werkverschaffingsproject in plan-Zuid. Omdat 1938 het geboortejaar van Beatrix is, zal het park al gauw Beatrixpark gaan heten. De Miranda raakt kort hierna betrokken bij een bouwschandaal en trekt zich, hoewel van alle aantijgingen vrijgepleit, overspannen terug uit de politiek.

SDAP-voorman Herman Wiardi Beckman voert na de capitulatie op de Grebbe-berg het woord namens het Nederlandse opperbevel om een laatste groet te brengen aan de gesneuvelden. Wiardi Beckman volgt na zijn studie geschiedenis een officiersopleiding en laat zich in 1939 als reserveofficier mobiliseren. In mei 1940 wordt Wiardi Beckman toegevoegd aan de staf van de Nederlandse opperbevelheb-ber, generaal Winkelman. Hij wordt met andere journalisten belast met het opstellen van legerberichten en schrijft ook mee aan de toespraak van generaal Winkelman waarmee de capitulatie wordt afgekondigd. In 1942 probeert hij te ontsnappen naar Engeland, maar wordt gearresteerd. Als 'Nacht und Nebel'-gevangene verdwijnt hij in Duitse concentratiekampen om in maart 1945 te sterven in Dachau.

Op 20 juli 1940 wordt de vooraanstaande NSB-er M. Rost van Tonningen (midden) door de bezetter benoemd tot Kommissar für die marxistischen Parteien. De bedoeling is tweeledig: de revolutionaire marxistische partijen worden verboden, maar Rost moet proberen de SDAP te winnen voor samenwerking met de nationaalsocialisten. Dat lukt Rost niet omdat de SDAP-voorzitter Koos Vorrink hem de deur wijst. Daarna loopt de partij leeg. Nevenorganisaties van de partij volgen dit voorbeeld niet. Rost van Tonningen kan tot zijn grote frustratie geen lid worden van de SS door zijn 'Indische bloedmenging'. Van Tonningen blijft nog lang na de oorlog de gemoederen beheersen omdat zijn weduwe, vanwege zijn lidmaatschap van de Tweede Kamer, tot haar dood pensioen geniet en fanatiek nationaal-socialiste blijft.

Willem Banning wordt welkom geheten bij de 'Club van pijprokende mannen' in het gijzelaarskamp Sint Michielsgestel. Daar worden vooraanstaande Nederlanders gegijzeld om bij verzetsdaden tegen de Duitsers te kunnen worden gefusilleerd. De gijzelaars denken in allerlei clubjes na over de naoorlogse toekomst van Nederland. Banning, predikant en SDAP-bestuurder, voelt zich in dit milieu thuis en denkt mee om de verzuiling te doorbreken en tot een brede volksbeweging te komen die de oude partijen overbodig zal maken. Dat wordt de Nederlandse Volksbeweging, die echter verdwijnt doordat de doorbraak niet lukt. De SDAP gaat in 1946 op in de bredere Partij van de Arbeid. Banning houdt de openingsrede onder de uitroep: "Hier de Partij van de Arbeid."

Teleurgestelde leden van de Onafhankelijke Socialistische Partij hebben in 1935 de Bond van Revolutionaire Socialisten gevormd. De BRS geeft georganiseerde steun aan vluchtelingen uit Duitsland. Na 1940 gaan leden van deze kleine groep in het verzet. Men neemt als groep de naam aan van de tijdens de Jordaanopstand omgekomen OSP-er Jan Gerressen (in de mis-spelling Gerretsen). De groep bestaat uit twintig leden, leider is de chemigraaf Ab Oeldrich, hier op de voorgrond.

De leden houden zich vooral bezig met vervalsingen, waarvoor men over een goed ingerichte illegale drukkerij beschikt in Amsterdam. Later drukt men bonkaarten, maar ook met medeweten van de Nederlandsche Bank schatkistpromessen, die dienen om het verzet te financieren.

Koos Vorrink was onderwijzer, jeugdbeweger en sinds 1934 SDAP-voorzitter. In juli 1940 wijst hij verbolgen de suggestie van de NSB-er Rost van Tonningen als zouden sociaaldemocratie en nationaalsocialisme gemeenschappelijke trekken vertonen, van de hand. Vorrink richt zich in diverse illegale pamfletten tegen de bezetter

en de NSB, maar ook tegen de CPN. Op 1 april 1943 wordt hij gearresteerd en verdwijnt in Duitse concentratiekampen. Vorrink poseert hier vermoedelijk kort na de oorlog in kampoutfit voor het reliëf van Troelstra, zijn grote voorganger. Hij krijgt nog een onsmakelijke lastercampagne van de CPN over zijn rol tijdens de bezetting voor de kiezen.

E ind 1944 vliegen enkele ministers vanuit Londen naar het reeds bevrijde zuiden om er kwartier te maken. Zij worden opgevangen door wantrouwige vertegenwoordigers van het verzet. Bij de aankondiging 'wij zijn ministers' en het tonen van paspoorten antwoorden die dat iedereen dat wel kan beweren: "Wij maken zelf valse paspoorten!" De regering, waarvan de SDAP sinds 1939 deel uitmaakt, heeft geen gezag en macht in bevrijd Nederland, in tegenstelling tot het Militair Gezag. Dat wordt gesteund door de weinig democratische opvattingen uit kringen rond koningin Wilhelmina en prins Bernhard. Van links naar rechts: Van Lidt de Jeude (Oorlog), Van den Broek (Handel, Nijverheid en Landbouw), Gerbrandy (minister-president), Van Heuven Goedhart (partijloos, Justitie) en Burger (SDAP, Binnenlandse Zaken).

In augustus 1944 wordt in Londen het College van Vertrouwensmannen opgericht dat de terugkeer van de regering naar Nederland moet voorbereiden en orde en rust in het bevrijde land moet bewaren. Zittend van links naar rechts: Drees, Bosch van Rosental, Cleveringa, Stokman. Staand v.l.n.r. Oranje, Neher, de dames Van Lennep en Van de Wall Bake, Le Poole, Cramer, Van der Gaag en Slotemaker de Bruine. Willem Drees deed, namens de SDAP, tijdens de bezetting mee aan allerlei illegale landelijke overleggen over de toekomst van het bevrijde Nederland. Eenmaal terug in Nederland kondigt het College op 6 mei in Den Haag een 'Proclamatie' af die bol staat van leed en saamhorigheid ten dienste van 'ons gebrandschatte volk'. Na enkele dagen neemt het Militair Gezag op weinig elegante wijze de macht over en is het College uitgespeeld.

Onder ons. De rode familie

NIELS WISMAN

De sociaaldemocraten verkeren vanaf de jaren '20 veilig in eigen clubs en organisaties. Ze winkelen bij de coöperatie, huren hun huis van de socialistische woningbouwvereniging en sluiten een verzekering af bij De Centrale Arbeiders Levensverzekeringsbank.

Lichaam en geest worden verrijkt in rode sportverenigingen en koren, door te luisteren naar de eigen omroep en te lezen in de eigen pers. Al deze partijgestuurde organisaties waarborgen het 'wij'-gevoel van wieg tot graf. Vaak is er ook werkelijk bloedverwantschap tussen de rode familieleden. Socialisme lijkt in de genen te zitten. De communisten bouwen na de oorlog ook ijverig aan een eigen nestconstructie. De CPN beschikt gedurende een hoogtijperiode van enkele jaren over genoeg kader om zo'n netwerk te onderhouden. De behoefte aan gemeenschappelijke beleving van tradities in partijverband neemt in de tweede helft van de twintigste eeuw sterk af. Veel 'telgen' van de rode familie sterven een zachte dood. Andere organisaties bestaan nog steeds, maar ontdaan van hun ideologie.

De afdeling Leeuwarden van de Sociaal-Democratische Vrouwenbeweging heet Helpt Elkander in de Strijd en is aangesloten bij de Sociaal-Democratische Bond (SDB). In het eerste programma van de SDB uit 1882 staat dat de Bond "is besloten alle haar ten dienste staande middelen aan te wenden tot algehele opheffing der vrouw uit den staat van slavernij, waarin zij verkeert." Dat is zeker voor die tijd een opvallend programmapunt, maar het wordt in 1892 al weer afgevoerd. Voor vrouwen is in deze jaren zowel buiten als binnen de partij nog veel te bevechten. Zoals de onderwijzer en SDB-er Berend Bymholt schrijft in zijn *Geschiedenis der arbeiders-beweging in Nederland* (1894): "De vrijheid der vrouw moet het werk der vrouw zelf zijn."

Vrouwen van de radicale vrouwenvereniging Samen Sterk vormen een tableau-vivant dat de Meiboom voorstelt. Samen Sterk ontstaat in 1903 in Middelburg op initiatief van een aantal vrouwen van SDAP-leden. Onder hen Mathilde Wibaut-Berdenis van Berlekom, de echtgenote van SDAP-voorman F.M. Wibaut. De repetities voor de tableaus worden vaak georganiseerd in de tuin van de Wibauts. In haar herinneringen vermeldt mevrouw Wibaut ook het hier afgebeelde huzarenstukje van

de Meiboom. Nog méér indruk dan de tableaus maken op gegoede burgers van Middelburg geruchten dat Samen Sterk hun dienstboden wil aanzetten te weigeren om 'kliekjes' te eten. Een poging de dienstboden in een vakbond te organiseren mislukt.

Voor de SDAP is het als jonge partij een hele eer om in 1904 het Internationaal Socialistisch Congres in Amsterdam te mogen organiseren. Het wordt geopend op 14 augustus in het Concertgebouw en er is nauwelijks ruimte genoeg om alle vijfhonderd afgevaardigden een plaatsje aan de tafels te geven. Het is een bijzonder congres, ook al omdat een paar maanden eerder de Russisch-Japanse oorlog is uitgebroken. Internationale kopstukken als August Bebel, Jean Jaurès, Rosa Luxemburg en Clara Zetkin zijn in Amsterdam van de partij. Een bijzonder moment breekt aan als de Russische gedelegeerde Plechanov zijn Japanse kameraad Katayama plechtig de hand schudt en verklaart te hopen op een Russische nederlaag.

Amsterdamse volkswoningbouw op socialistisch initiatief trekt ook internationaal belangstelling. Een buitenlandse delegatie brengt hier een bezoek aan het
Transvaalplein. Links met deukhoed staat de ontwerper, Hendrik Petrus Berlage
(1856-1934). De architect sympathiseert met het socialisme, maar is geen lid van een
politieke organisatie. Hij staat bij de SDAP in hoog aanzien en is de ontwerper van
verschillende volkshuisvestingsprojecten die in de jaren '20 en '30 van de twintigste
eeuw onder sociaaldemocratische vleugels worden uitgevoerd. Het complex aan het
Transvaalplein wordt neergezet door de Algemene Woningbouw Vereniging, opgericht uit kringen rond de Algemeene Nederlandsche Diamantbewerkersbond. Het
geld als een voorbeeld voor sociale woningbouw in West-Europa.

Bij de landelijke verkiezingen van 3 juli 1918 mogen voor het eerst alle mannen stemmen en de SDAP maakt zich overal in het land op voor stevige propaganda. In het noorden is G.W. Sannes kandidaat voor de socialisten en de kiezers zullen het weten. Sannes wordt uiteindelijk inderdaad gekozen en hij zit in een fractie van 22 leden in de Tweede Kamer. Dat is een mooie prestatie, maar de SDAP heeft eigenlijk méér verwacht. De christelijke arbeiders hebben en masse op de confessionele partijen gestemd en dat is een teleurstelling. Bijzonder aan deze eerste Nederlandse verkiezingen met algemeen mannenkiesrecht is dat er voor het eerst een vrouw in de Tweede Kamer komt. Het is de onderwijzeres Suze Groeneweg van de SDAP.

De plakploeg van de SDAP- afdeling Amsterdam-Noord heeft het druk met de campagne voor de Tweede Kamerverkiezingen. De SDAP is in een overwinningsstemming. In Rusland en Duitsland waart het spook van de revolutie rond en bij de burgerlijke partijen zit de schrik er goed in. Troelstra zelf staat kandidaat voor de districten Friesland en Amsterdam. Hij wordt in beide gekozen. In Amsterdam worden echter ook opvallend veel stemmen uitgebracht op de kandidaat van de commu-

nistische partij, die dan nog Sociaal-Democratische Partij (SDP) heet. De SDP rolt mee op internationale revolutionaire golven en verovert twee Kamerzetels, die de SDAP zich zelf had toegerekend. Dat smaakt een beetje zuur.

" **E**en kleine man met een baardige profetenkop – als Tolstoj – met eigenaardig heldere dwepersogen, boven een donkergetinte, ruime cape." Zo typeerde auteur R. Jans de gefortuneerde wereldverbeteraar Jacob van Rees, in zijn boek *Tolstoj in Nederland* (1952). Van Rees (1854-1928) is christen-anarchist, antimilitarist en drankbestrijder. Hij is ook een fel tegenstander van dierproeven. Van Rees vangt de muizen die zijn Blaricumse huis bezoeken zorgvuldig om ze in een belendend bosperceel

weer los te laten. Hier profeteert hij in Blaricum tijdens een 'velddag' van de Rein Leven Beweging. Rein Leven, opgericht in 1901, streeft naar vergeestelijking van het seksuele leven. Van Rees is als begenadigd spreker en gulle gever een graag geziene gast op bijeenkomsten van verschillende idealistische (jeugd)organisaties.

De Federatie Amsterdam van de SDAP staat klaar voor de verkiezingspropaganda. "De verkiezingsactie van 1925 is door de SDAP met groot elan gevoerd", schrijft H. van Hulst later in *Het roode vaandel volgen wij* (1969). "De partij wist een groot aantal leden te mobiliseren voor het plak- en schilderwerk, dat voor velen zo'n actie tot een romantisch avontuur maakte. Er waren vaklieden die straten en pleinen met leuzen en emblemen -soms in kleur- versierden. Er waren minder begaafden die bij voorkeur schilderden waar het niet mocht (…)." De propagandisten worden beloond voor hun inspanningen: bij de verkiezingen op 1 juli stijgt het aantal Kamerzetels van de SDAP van twintig tot 24.

Het is een sport om de leuzen en aanplakbiljetten op de meest onbereikbare plaatsen aan te brengen. Deze partijgenoten van de afdeling SDAP Amsterdam voeren campagne voor de gemeenteraadsverkiezingen. In Amsterdam heeft de partij veel te winnen en veel te verliezen. De kandidaat waar deze mannen voor plakken is F.M. Wibaut, die in de jaren '20 als wethouder een machtig stempel weet te drukken op het bestuur van de gemeente. De verkiezingsstrijd van 1927 is buitengewoon fel en op de dag van de waarheid verliest de SDAP in Amsterdam één zetel. De partij houdt toch nog vijftien zetels in de gemeenteraad, maar blijft voor het eerst in jaren buiten het College van Burgemeester en Wethouders.

" **I** n een ziekenauto wordt hij erheen gebracht, de tocht is vermoeiend, enerverend, met hoeveel zorg men hem ook omgeeft, maar als hij er eenmaal aangekomen is, is alles goed, dan heeft hij het gevoel of hij thuisgekomen is, na een lange tocht, na een lang leven thuisgekomen." Dat schrijft Age Scheffer van *Het Vrije Volk* later over het bezoek dat de inmiddels afgetreden en zieke SDAP-leider Troelstra in de zomer van 1928 brengt aan het naar hem genoemde Troelstra-oord in Beekbergen. Hij zit hier in een rolstoel op het terras met een deken over zijn benen, om hem heen prominente bestuurders van SDAP en NVV. Hij blijft een paar weken, te midden van socialistische arbeiders die op Troelstra-oord hun vakantie doorbrengen.

Bij de Arbeiders Jeugd Centrale (AJC) zorgen koperblazers ervoor dat de deelnemers aan de kampen 's morgens wakker worden. 's Avonds wordt op dezelfde manier signaal gegeven om weer te gaan slapen. De blazers balanceren hier waarschijnlijk op het hek van het terras van de Paasheuvel in Vierhouten en dat is op zich al een hele kunst. Muziekgroepen spelen een belangrijke rol in de AJC. Er wordt veel gezongen en aanbevolen instrumenten zijn de fluit, de viool, de hobo, de gitaar en de klarinet. Om het marcheren van de Rode Valken te vergemakkelijken is er een corps van trommelslagers en pijpers in het leven geroepen.

" **D**e manifestanten trokken mij allen voorbij onder het raam van mijn wethouders-kamer, waarin ik volgens mijn eigen schatting het beste deel van mijn leven had doorgebracht", schrijft F.M.Wibaut over de huldiging bij zijn afscheid als wethouder. Die zaterdag trekken duizenden mensen in een stoet over de binnenplaats van het Prinsenhof, het toenmalige stadhuis van Amsterdam. Wibaut schrijft dat het meren-deels partijgenoten zijn en dat hij ervan moet blozen. "In de loop van de jaren heb ik wel geleerd in huldebetui-gingen onderscheid te maken tussen echt en opgeschroefd. Maar in die stoet was zoveel échts dat het mij aan-greep."

CERESERVEERD

Een meeting sluiten sociaaldemocraten in de jaren '30 steevast af met het zingen van 'de Internationale'. Deze vrouwen doen dat uit volle borst in een voor hen gereserveerd vak, tijdens een grote demonstratie van SDAP en NVV in Den Haag. De bijeenkomst is onder andere gericht tegen de bezuiniging op de werklozensteun en georganiseerd op de dag van de Algemene Beschouwingen in de Tweede Kamer. De regering heeft geprobeerd door een strenge toepassing van de stempelplicht te verhinderen dat werklozen mee demonstreren. Het aantal deelnemers aan de volksbeweging wordt desondanks geschat op bijna 100.000. De voltallige Kamerfractie van de SDAP doet even niet mee aan de Algemene Beschouwingen en demonstreert mee met de rest van de rode familie.

Deze collectebus past niet op de schoorsteenmantel. De organisatie van de inzameling poseert bij een enorme collectebus voor het sanatorium voor tuberculose-patiënten Zonnestraal in Hilversum. Zonnestraal is in 1928 geopend en dat is te danken aan de rode diamantbewerker en vakbondsbestuurder 'Ome' Jan van Zutphen. Het eerste geld wordt op zijn initiatief bij elkaar gebracht door diamantbewerkers. Sinds de opening wordt jaarlijks gecollecteerd op Zonnestraaldag en dat wordt een begrip in het land. Het motto is 'de sterken voor de zwakken' en er wordt, behalve met reusachtige collectebussen, gewerkt met propagandawagens, speldjes en loten. Alle echte socialisten hebben een klein Zonnestraalbusje in huis staan en doen daar regelmatig wat kleingeld in.

Behalve van de rode familie was SDAP-voorman Pieter Jelles Troelstra ook lid van de Friese familie. Hij was een begenadigd schrijver en dichter in de Friese taal. Daaraan herinnert dit monument, dat drie jaar na zijn dood tot stand komt in het Friese dorp Stiens. Het staat op de hoek van de Langebuorren en It Achterbosk. De jonge Pieter Jelles kwam in 1868 op negenjarige leeftijd wonen in Stiens, omdat zijn vader er als belastingontvanger was aangesteld. De familie bleef er tot 1875. De straat waar de Troelstra's woonden, is later Piter Jelles-singel gedoopt. In zijn *Gedenkschriften* kijkt Troelstra mild terug op zijn jeugdjaren in Stiens, maar ook de pesterijen en vechtpartijen op school zijn hem goed bijgebleven.

De handballers van de Nederlandse Arbeiders Sportbond komen net om de hoek bij de 1 mei optocht in Amsterdam. De NASB is in 1926 opgericht en na wat aanloopproblemen opgenomen in de rode familie. Vooral de Amsterdamse sporters van de Bond worden door de SDAP argwanend bekeken. Ze worden ervan verdacht een soort militaire ordedienst tegen het fascisme te willen vormen. De blote benen en schouders van de sporters op deze foto staan in opvallend contrast tot de pakken en lange jassen in het publiek. Zelfs in eigen kring is wel kritiek op de blootheid van sommige sportlieden. Uit *Arbeiderssport* van 26 augustus 1933: "Vooral bij haar, wie moeder Natuur minder gunstig bedeeld heeft (…) doet een op deze wijze gedragen kleding weinig aangenaam aan."

Vaders, moeders, broertjes, zusjes en ander familieleden zijn komen kijken bij een Rode Nederzetting in Vierhouten. Niet iedereen is op deze natte zomerdag gekleed. Woensdag is bezoekdag op de Rode Nederzettingen, de zomerkampen bij het Rode Valken-nest. De toegangspoort is door de deelnemers aan het kamp zelf uit takken gebouwd. Op de achtergrond staan de tenten waarin de Rode Valken de nacht doorbrengen. Het Rode Valken-nest is een wat kleinere kopie van de Paasheuvel, met eigen handen gebouwd en sinds 1931 ook voorzien van een openluchttheater, aangelegd door jonge werklozen. Het geld is gefourneerd door Wibaut, beschermheer van de Arbeiders Jeugd Centrale (AJC). Van kamperen hebben ze bij de AJC veel verstand.

Kinderen van communisten nemen op 1 mei vrij van school. Vader of moeder schrijft dan een briefje en dat valt natuurlijk wel op. Hier laten ze de buitenwereld zien hoe ze die dag op hun eigen manier doorbrengen met feestelijke activiteiten. In de jaren na de Tweede Wereldoorlog bouwen de Nederlandse communisten zorgvuldig aan hun eigen 'rode familie' en daarbij kijken ze met een schuin oog ook naar de sociaaldemocraten. Anders dan de AJC-ers dansen ze niet om de Meiboom, maar voeren ze een soort volksdans uit. Die zou zijn oorsprong wel eens kunnen hebben in één van de bevriende Oost-Europese volksdemocratieën.

Een 'Vliegende Brigade' van de CPN staat op het Waterlooplein in Amsterdam met rijwielen klaar voor de propaganda. De hamers en sikkels op de fietsen zijn in het politiek klimaat van die dagen gedurfd. Door de communistische machtsgreep in Tsjechoslowakije en de internationale spanning rond Berlijn hebben de Nederlandse communisten het moeilijk. Het isolement groeit. Intussen komen de verkiezingen er aan en de jonge mannen op deze foto gaan ondanks het grimmige politieke klimaat kiezers werven. Alsof het allemaal al niet lastig genoeg is, heeft de CPN in een manifest vast aangekondigd dat de partij binnen tien jaar aan de macht zal zijn. Bij het bekend worden van de uitslagen blijkt dat de partij is teruggezakt van 10,7 naar 7,7 procent van de stemmen.

Haarlemse kaderleden van de PvdA staan op de Grote Markt klaar voor een uitstapje met de bus naar Antwerpen. Het zijn de échte 'Fakkeldragers', zoals ze in de partij worden genoemd. De afdelingen spelen een belangrijke rol in de PvdA, alleen al omdat daar de contributie wordt geïnd. Ze vormen de basis van een organisatorische piramide, die verder is opgebouwd uit federaties, de partijraad en het congres. Het kader wordt geacht met gepast respect voor de leiding deel te nemen aan de politieke meningsvorming en mee te werken aan het uitdragen van de beginselen. Dat betekent: vergaderen, propagandamateriaal verspreiden, huisbezoek en geld inzamelen. Hoogtijdagen zijn de verkiezingscampagnes, dan worden alle zeilen bijgezet.

IISG | FOTO C. DE BOER

Leden van de PvdA in Zwolle fietsen voor Willem Drees. Naast het organiseren van vergaderingen is huisbezoek een belangrijk middel om de aarzelende kiezer over de streep te trekken. Kaderleden van de PvdA voeren in de jaren '50 trouw campagne voor hun minister-president. Raambiljetten, foto's van de lijsttrekker en zelfs papieren mutsen met zijn naam worden verspreid. Hun inzet wordt beloond: in 1952 kan Drees een nieuwe regeringstermijn van vier jaar beginnen. In 1956 gaat het kader opnieuw op pad met verkiezingsposters, maar dat jaar zet de PvdA als eerste politieke partij in Nederland naast de fiets ook een helikopter in.

Jan Antoon Krelage dirigeert in de buitenlucht zijn socialistische zangkoor de Stem des Volks in de Burgemeester Fockstraat in Amsterdam-West. Hij staat op een geïmproviseerde verhoging van een paar stoeptegels, want Amsterdam is tuinsteden voor de toekomst aan het bouwen. In deze tijd beleven de socialistische zangkoren een bloeiperiode, de Bond van Arbeiders Zangverenigingen telt zo'n 10.000 leden. De Stem des Volks Amsterdam is een begrip en regelmatig te horen op de VARA-radio. Hier in de Burgemeester Fockstraat heeft de Stem bezoek van een Weens zangkoor en een tegenbezoekje zit er misschien wel in. Dergelijke uitstapjes maken het lidmaatschap van de Stem in deze magere jaren extra aantrekkelijk.

Dubbeltjes en kwartjes zijn belangrijk, maar het grote papiergeld ontbreekt niet na de collecte voor het Strijdfonds van de PvdA. Partijsecretaris Albrecht (midden met strikje) en anderen tellen de opbrengst op het Partijbureau in Amsterdam. Het Strijdfonds strijdt uitsluitend voor het inwendige der partij. Geld wordt bij elkaar gebracht door de leden en er is véél nodig. De PvdA maakt immers gebruik van even moderne als dure propagandamiddelen. De leuze van het Strijdfonds: 'Het komt in de Bus'. In 1954 is de stemming extra strijdbaar, omdat de Nederlandse bisschoppen in dat jaar de katholieken in hun mandement verbieden lid te zijn van een socialistische vakbond of te luisteren naar de VARA. Het stemmen op de PvdA wordt gelovigen ontraden.

Het congres van de PvdA is officieel het hoogste orgaan van de partij. In de jaren '50 en '60 wordt het om de twee jaar gehouden en alle afdelingen in het land sturen hun afgevaardigden. Die kunnen namens de achterban laten weten wat ze vinden van het optreden van partijbestuur, Kamerfracties en hoofdredactie van *Het Vrije Volk*. Op dit belangrijke moment in het partijleven ruikt het kader even aan de macht. Juist de ouderen nemen nog al eens een afwijkend standpunt in en zijn van mening dat de partij haar linkse idealen tekort doet.

P vdA-minister Anne Vondeling van Financiën (midden) ten huize van de gewone man, in dit geval de familie Welling in Delft. De secretaris van de PvdA-afdeling uit Delft is meegekomen voor dit huisbezoek in het kader van de verkiezingen. Vondeling zit er wat stijfjes bij, in zijn herinneringen *Nasmaak en Voorpoef* (1968) zal hij deze periode beschrijven als een 'gespannen situatie'. Bij de verkiezingen voor de Gemeenteraden en de Provinciale Staten in respectievelijk maart en juni 1966 verliest de PvdA fors. In oktober van hetzelfde jaar zal het kabinet-Cals/Vondeling jammerlijk ten val komen. Zijn naam leeft voort in de naar hem vernoemde prijs voor journalisten die zich helder uit weten te drukken.

Vertegenwoordigsters van het Vrouwencontact in de PvdA maken in Den Haag bij het Ministerie van Economische Zaken bezwaar tegen de prijsstijgingen. In de grote tas van de vrouw rechts vooraan zitten tienduizend handtekeningen. Van een tweede feministische golf is op deze foto weinig te zien, maar de rimpelingen ervan zijn in 1969 wel doorgedrongen tot het Vrouwencontact, dat in dat jaar de Vrouwenbond van de PvdA is opgevolgd. Behalve het probleem van de duurte dat hier aan de orde wordt gesteld, komen langzaamaan ook zaken als rolverdeling tussen man en vrouw, gelijke kansen in het onderwijs en het buitenshuis werken van de vrouw in beeld.

Vertegenwoordigsters van de tweede feministische golf gaan met ballonnen en pamfletten de straat op in Gouda. De oudere mevrouw met bril in het midden weet beter hoe je een ballon dicht knoopt dan de nieuwe generatie. Al omstreeks deze tijd gaan actieve vrouwen in de PvdA zich 'Rooie Vrouwen' noemen, een naam die pas van 1975 officieel in de partij wordt gebruikt. Er wordt gewerkt met moderne propagandamiddelen als buttons en stickers met daarop de uitdagende tekst: "Wij willen ons gelijk." De oudere mevrouw heeft zich er al een laten opspelden. Bij de oudere leden van het 'Vrouwencontact in de PvdA' slaan de nieuwe methoden niet altijd aan, maar bij de doelgroep hier in Gouda lijkt het wel te werken.

De spanning is af te lezen van de gezichten tijdens deze vergadering van het Gewest-Amsterdam van de PvdA. Uiterst rechts Pitt Treumann, over wie het vanavond gaat: hij zal in het College van B&W de plaats gaan innemen van de afgetreden PSP-er Huib Riethof. De bijeenkomst vindt plaats tegen de achtergrond van een dreigende ontruiming van de Nieuwmarktbuurt. Daar hebben krakers zich verschanst in hun verzet tegen de aanleg van de metro en de politie zal nog dezelfde maand in actie komen. Ook sommige Amsterdamse partijgenoten hebben hun twijfels over het metro-beleid van PvdA-wethouder Han Lammers.

Verschillende generaties zingen strijdbaar en eensgezind op de laatste van vijf
Rooie Vrouwendagen in 1975 'De dagen' worden georganiseerd in het kader van
het Jaar van de Vrouw, dat internationaal is uitgeroepen door de Verenigde Naties.
Het Jaar van de Vrouw wordt met succes aangegrepen om aandacht te vragen voor
emancipatie op verschillende fronten. Op het partijcongres in april 1975 is het Vrouwencontact in de PvdA officieel omgedoopt tot 'Rooie Vrouwen in de PvdA'. De
Rooie Vrouwen laten hun geluid zowel binnen als buiten de partij goed horen. Bij de
verkiezingen van 1977 voeren ze apart actie, omdat de PvdA naar hun inzicht onvol-
doende vrouwelijke kandidaten op de lijst heeft gezet.

Zoals dat in een democratische partij hoort, spreken de leden van de PvdA een stevig woordje mee over het beleid. Dat gebeurt via de afdelingen, het congres en het partijbestuur. In de roerige jaren '70 gaat de inspraak vertegenwoordigers van de partij in gemeenteraden, parlement en andere organen wel eens op de zenuwen werken. De leden willen werkelijk over álles meepraten en dat maakt het sluiten van compromissen met andere partijen soms lastig. Een traumatische ervaring wordt de bemoeienis van de leden met de formatiebesprekingen van 1977. Het partijbestuur kijkt de onderhandelaars van de PvdA scherp op de vingers en er is wel beweerd dat het tweede kabinet-Den Uyl er dáárdoor nooit is gekomen.

Bekende Nederlanders worden door de PvdA ingezet tijdens de uitbundige verkiezingscampagne van 1977. Minister-president Joop den Uyl zit hier samen met zijn vrouw Liesbeth tussen beroemdheden als actrice Hetty Blok, televisiepresentatrice Viola van Emmenes, zangeres Willeke Alberti, actrice Trudy Labij en de VARA-presentatrices Letty Kosterman en Jeanne van Munster. Links onder zit, zoals in die tijd gebruikelijk jeugdig op de grond, minister Wim Duisenberg van Financiën. De campagne wordt op 23 mei stilgelegd, omdat Molukse jongeren met een treinkaping en gijzelingen het land in hun greep houden. De PvdA boekt bij de verkiezingen van 25 mei uiteindelijk een historische winst van tien zetels. De overwinning is goed voor 53 zetels in de Tweede Kamer.

PvdA-leden en kaderleden van het oude stempel weten hun partijleider Joop den Uyl hier te vinden en hij luistert aandachtig naar ze. Toch wordt de PvdA in de jaren '70 een partij van 'nieuwe vrijgestelden'. De toon in de partij wordt meer en meer gezet door academici, welzijnswerkers en andere beroepsgroepen die hun brood verdienen zonder hun handen te gebruiken. Ze zijn al sinds het optreden van Nieuw Links in de PvdA in opkomst en soms botsen hun opvattingen met die van de oudere generatie. Hoewel hij zelf ook zo jong niet meer is, weet Joop den Uyl als geen ander een brug te slaan tussen oud en nieuw in de partij.

" **Z**witserland, daar blijf ik af", zou Joop den Uyl gezegd hebben bij het aansnijden van deze enorme taart die Europa voorstelt. Het tafereel speelt zich af in Parijs aan de voet van de Eiffeltoren, tijdens de slotmanifestatie van een groot internationaal socialistisch congres in de aanloop naar de Europese verkiezingen van juni 1979. Naast Den Uyl in het midden staat Willy Brandt van de Duitse SPD en daar weer naast François Mitterand van de Franse Parti Socialiste. Bij de verkiezingen van 1979 wordt voor het eerst rechtstreeks in alle lidstaten een Europees Parlement verkozen. De socialisten worden met 125 zetels de grootste fractie.

Oud-bestuursters praten na over 75 jaar vrijwel ononderbroken sociaaldemocratische vrouwenbeweging in Nederland. In de jaren '60 is door sommigen nog wel gedacht aan opheffing van een aparte vrouwenorganisatie in de partij, maar serieus overwogen is dat nooit. Na twee feministische golven en de nodige aanpassingen aan de eisen des tijds, houden de Rooie Vrouwen in en buiten de PvdA nog steeds de vinger aan de pols. Er is intussen wel iets veranderd. Zijn in de begintijd van de Sociaal-Democratische Vrouwenclubs vooral arbeidersvrouwen en arbeidsters van alle leeftijdsgroepen lid, de gemiddelde actieve Rooie Vrouw in de jaren '80 van de twintigste eeuw is meestal jong en goed opgeleid.

De Rooie Vrouwen in de PvdA houden congres en in de zaal is te zien hoe een nieuwe zelfbewuste generatie vrouwen zich aandient. Ze vieren dit jaar het 75-jarig bestaan van de sociaaldemocratische vrouwenbeweging, die begon met de oprichting van de Bond van Sociaal-Democratische Vrouwenclubs in 1908. De tijd dat vrouwen in de partij zich alleen bezighielden met hun achtergestelde positie ligt achter de congresgangers op deze foto, maar er is nog genoeg om voor te strijden. Zoals Ulla Jansz schrijft aan het slot van haar in 1983 verschenen historisch overzicht *Vrouwen, ontwaakt!*: "Zolang vrouwen tot de minder machtigen binnen de partij behoren, zullen zij zich apart moeten blijven organiseren om hun macht en invloed te vergroten."

De Rode Familie bestaat niet meer en de traditionele jeugdbeweging is verdampt in de jaren zestig. Kinderen van linkse ouders zijn er ook daarna nog steeds en ze komen opvallend in beeld als progressieve politici er een gewoonte van maken hun kleintje(s) mee te nemen naar het werk. Vooral in de jaren '90 verschijnen de baby's, peuters en kleuters op congressen, demonstraties en andere bijeenkomsten.

Landelijk fractieleider Ina Brouwer van GroenLinks zit hier met haar dochtertje in een fietstaxi op de Dam in Amsterdam. De dames doen mee aan een optocht van alternatieve taxivormen. Die is georganiseerd door Groen-Links, de gemeenteraadsverkiezingen komen eraan.

Als de rode familie ergens een taai leven leidt, dan is het in de zorgcentra voor ouderen van de voormalige Willem Drees Stichting. Eind jaren '90 van de twintigste eeuw is de stichting gefuseerd met organisaties van andere gezindten, maar in de eigen vestigingen leeft de geschiedenis voort. In sommige huizen is de sfeer op bepaalde dagen nog als vanouds. PvdA-fractieleider Wouter Bos bezoekt hier tehuis De Venser in Amsterdam-Zuidoost om daar samen met de bewoners 1 mei te vieren. Zoals het hoort, deelt Bos rode rozen uit aan de dames. Buiten beeld eet hij samen met hen ook nog een gebakje en er worden strijdliederen van vroeger gezongen.

Stemt Rood. Affiches tot 1945

De eerste politieke affiches zijn een soort muurkranten waarop aankondigingen voor allerlei bijeenkomsten worden afgedrukt. Met de invoering van het algemeen kiesrecht wordt het affiche het belangrijkste medium om te communiceren met de kiezer. Langzaam maar zeker verdwijnen de lappen tekst ten gunste van een veel krachtiger beeldtaal. De teksten blijven beperkt tot de naam van de partij aangevuld met kreten als: Stemt!, Werft!, Eischt!, Versterkt! en Kiest! De namen van politici worden soms genoemd, maar de mannen zelf worden zelden afgebeeld. In verkiezingstijd kleuren de muren in de steden bont, de socialisten kiezen uiteraard hoofdzakelijk voor rood. De artistieke hoogstandjes staan niet zelden bol van de symboliek. De meeste affiches van de socialisten komen uit de koker van vooraanstaande ontwerpers, zoals Albert Hahn (sr. én jr.), Meijer Bleekrode en Albert Funke Küpper.

* Internationale Arbeiders Hulp en Nationaal Arbeids-Secretariaat

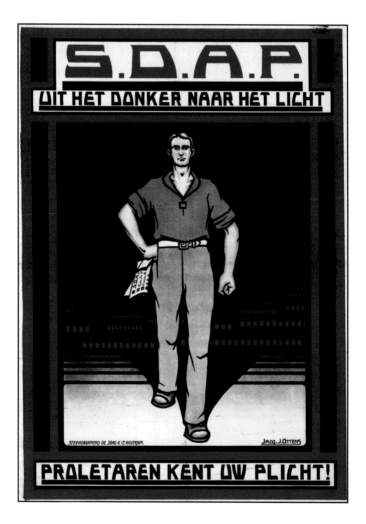

S.D.A.P.

UIT HET DONKER NAAR HET LICHT

PROLETAREN KENT UW PLICHT!

STEENDRUKKERIJ DE JONG & Cº HILVERSUM.   JACQ. J. OTTENS

DE BEVRYDING DER
ARBEIDERSKLASSE
MOET HET WERK DER
ARBEIDERS ZELF ZYN

Karl Marx.

DAAROM STEMT
OP DE KANDIDATEN DER
S.D.A.P.

SPORT

IS LEVEN-MILITARISME DE DOOD
MEANS LIFE-MILITARISM MEANS DEATH
C'EST LA VIE-MILITARISME C'EST LA MORT
IST LEBEN-MILITARISMUS DER TOD

FEDERATIE AMSTERDAM

ONTWAPENING
DISARMAMENT-ABRÜSTUNG-DESARMEMENT

WORDT LID VAN DE
V.A.R.A.
POSTBUS 50 HILVERSUM

IISG I ONTWERP ALBERT FUNKE KÜPPER

INDONESIË LOS VAN HOLLAND NU

„GEEN VOLK IS VRIJ,
DAT EEN ANDER
VOLK ONDERDRUKT"
(KARL MARX)

ZEVEN PROVINCIEN

KIEST COMMUNISTEN

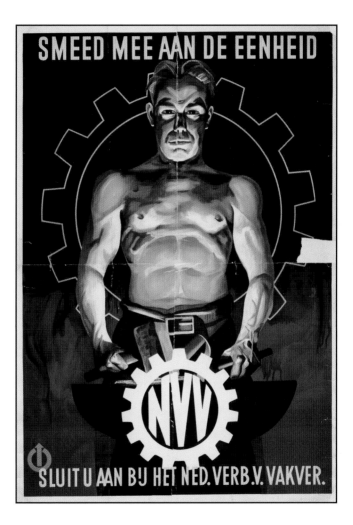

Het
Socialisme
breekt baan !!

NATIONAALSOCIALISME!

* Departement van Volksvoorlichting en Kunsten

 IISG | ONTWERP: AREND MEIJER

NIELS WISMAN

De Nederlandse sociaaldemocratie heeft veel overgenomen van de oosterburen. Zo ook de kleding en levensgewoonten in de jeugdbeweging, die in de jaren '20 haar hoogtepunt bereikt. Jongeren ontvluchten het dagelijkse bestaan door de natuur in te trekken, waar

ze sober leven in hun zelf gecreëerde wereld. De kleinere jeugdorganisaties van communisten en revolutionaire socialisten doen, net als
sociaaldemocraten, aan bonte avonden en kampvuren maar hier
speelt politiek activisme een grotere rol. Politieke strijd vraagt zelfver-
loochening en brengt zelfverheffing, alles onder leiding van oudere
jongeren. Na de oorlog, in tijden van schaarste en wederopbouw, is de
jeugd opnieuw enthousiast voor kamperen en collectief dingen
ondernemen. Maar net als de mogelijkheden voor consumptie en vrij-
etijdsbesteding tot aan de hemel lijken te reiken, valt in de jaren '70 het
doek voor dit soort jeugdbewegingen. De in politiek geïnteresseerde
jeugd van nu organiseert zich in kweekvijvers van de partijen, zoals
Rood van de SP of Dwars van GroenLinks.

Rond de primus poseren jonge en wat oudere vertegenwoordigers van de Alge-meene Jongelieden Geheelonthouders Vereeniging De Propagandist. De club is opgericht in 1912 in Amsterdam en komt voort uit de kring van de Nederlandse Onderwijzers Propaganda Club. Hier kampeert men ook met stropdas. De vereniging is strikt neutraal en houdt zich verre van alles wat riekt naar maatschappijverandering. De leden colporteren met het blad *Abstinentia*. Leden van de JGOV dragen het geheelonthoudersbeginsel ook tijdens hun vele uitstapjes in het land actief uit. Ze mijden de confrontatie niet en colporteren in Amsterdam zelfs onder drinkebroers op de Nieuwmarkt en de Zeedijk.

Een grootgrondbezitter op laarzen en een rechter met bef deinzen terug voor een boer en een stel arbeiders. De jongemannen op het toneel zijn leden van De Zaaier, Bond van jonge arbeiders en arbeidsters in Nederland. De proletariërs met hun petten dragen een vlag met ster, waarin een hamer en sikkel. De boer links staat op oer-Nederlandse klompen, maar waarschijnlijk wordt op deze foto toch een tafereel uit de Russische revolutie uitgebeeld. De Zaaier is in 1901 opgericht onder de vleugels van de SDAP, maar ontwikkelt zich als zelfstandige jeugdorganisatie na 1909 in de richting van de linkse afsplitsing van deze partij, de SDP. De leden van De Zaaier houden zich bezig met klassenstrijd en revolutie, aan 'padvinderij' hebben ze geen boodschap.

L eden van de Arbeiders Jeugd Centrale (AJC) brengen de klassenstrijd op het toneel in de duinen van Castricum. De arbeider met pet rechts balt de vuist in de richting van het Kapitaal, vertegenwoordigd door een heer met das en een deftig geklede dame. De AJC-ers zijn met zijn allen op vakantiekamp en voeren hier een lekenspel op. Het stuk wordt zonder al teveel pretenties gespeeld in de open lucht, de bomen van het duinlandschap zijn achter een provisorisch decor van stokken en doek te zien. Het 'lekenspel' staat bij de AJC in hoog aanzien. Het is een vorm van toneel waarbij niet teveel wordt ingestudeerd en ieder lid de kans moet krijgen zich te uiten.

Het Pinksterfeest van de AJC in 1926 wordt bij uitzondering niet in Vierhouten, maar in Amsterdam gehouden. Het is tegelijkertijd een Internationaal Jeugd-feest, met meer dan duizend buitenlandse gasten. De tenten worden opgeslagen op bouwrijp land in de Watergraafsmeer, gratis beschikbaar gesteld door het gemeente-bestuur van Amsterdam. Ook de provisorische wasgelegenheid waarbij de vrouwen zich hier aan het opfrissen zijn, is door de gemeente verzorgd. De SDAP zit in deze periode in het Amsterdamse College van Burgemeester en Wethouders. Hoogte-punt van het Pinksterfeest in de Watergraafsmeer is de fakkeloptocht, dit keer langs de Amsterdamse grachten. Er is veel publiek en dat bestaat niet alleen uit geestver-wanten.

Vanaf station Nunspeet lopen de AJC-ers gewoonlijk in groepsverband naar de Paasheuvel in Vierhouten. Het is een wandeling van ongeveer een uur, vaandels en muzikanten gaan voorop en de plaatselijke jeugd loopt nieuwsgierig mee. De AJC-ers hier zijn zojuist aangekomen en maken zich klaar voor de mars. Bij de Paasheuvel wacht het Pinksterfeest, met een paar duizend deelnemers het jaarlijks hoogtepunt van het AJC-leven. Er wordt gezongen, gemusiceerd en rond het kampvuur gezeten. Er zijn wandeltochten en men beoefent het 'lekenspel', een vorm van improviserend toneel. Indrukwekkend op het Pinksterfeest is ieder jaar weer de fakkeloptocht in het donker over de heide.

De tamboers van de Rode Valken van de AJC hebben even rust, terwijl de Amsterdamse SDAP-wethouder De Miranda van Volkshuisvesting de menigte in het Olympisch Stadion toespreekt. Goed te zien zijn de strijdbare rode dassen. Op het padvinderachtige uniform van de Rode Valken is binnen de AJC ook wel kritiek te horen. Links van De Miranda in een donker pak staat AJC-leider Klaas Toornstra. De eerste dag van mei wordt in Amsterdam meestal gevierd met een grote demonstratieve tocht door de stad, waaraan alle socialistische organisaties deelnemen. De tocht wordt afgesloten met een massameeting in het stadion. AJC-ers zorgen daar dan behalve voor muzikale begeleiding bij de verschillende onderdelen vaak ook voor bewegingsspel op het grasveld.

Jonge werklozen in Amsterdam spelen begin jaren '30 domino onder auspiciën van de Arbeiders Jeugd Centrale. Het tafereel speelt zich af in gebouw Het Anker aan de Prins Hendrikkade, ontmoetingsplaats voor 'onbegrepen jeugd'. Het bord aan de wand maakt duidelijk dat men wel geacht wordt zich aan de regels van de AJC te houden. De AJC geeft het liefst ontwikkelingscursussen aan de werklozen, maar dat slaat nauwelijks aan. Daarom voert ontspanning de boventoon: spelletjes, zingen, muziek, sport en excursies. AJC-voorman Koos Vorrink trekt zich het lot van de jonge werklozen in de jaren '30 sterk aan en wil voorkomen dat ze onder de vleugels van de fascisten terechtkomen. Niet alle AJC-afdelingen lopen warm voor het werklozenwerk, maar in Amsterdam gebeurt veel op dit gebied.

oor de AJC is de Meiboom het symbool van nieuw leven en verbondenheid en hij ontbreekt dan ook niet bij de 1 meiviering. Het is een paal van ongeveer drie meter lengte met bovenaan een wiel dat rondgedraaid kan worden. Het geheel is versierd met takken en bloemen. Aan het wiel zitten zestien kleurige linten. Acht paren doen mee aan de dans en elke deelnemer pakt een lint. Al dansende worden de zestien linten vervlochten tot een eenheid. Tijdens het jaarlijkse Pinksterkamp van de AJC worden de leden die in het achterliggende jaar met elkaar in het huwelijk getreden zijn, onder de Meiboom opnieuw getrouwd.

Eten en drinken doe je even tussendoor bij de Nederlandse Jeugdbond voor Natuurstudie, de NJN. Van de meeste andere jeugdorganisaties in de jaren '20 en '30 van de twintigste eeuw onderscheidt de NJN zich door individualisme en afkeer van uiterlijk vertoon. NJN-ers gaan veel naar buiten, alleen of in groepjes, maar niet zingend en marcherend. Het gaat ze eerder om beleving en bestudering van de natuur dan om gemeenschapsgevoel. Ze trekken zich meer terug in de natuur dan dat ze de maatschappij willen veranderen, maar ze zijn wél idealistisch. De NJN ontstaat in 1920 als een overkoepelend federatie van plaatselijke natuurclubs, waarin jongeren zich zelfstandig zonder toezicht van ouderen hebben georganiseerd.

De leerlingen heten werkers en de leerkrachten medewerkers op de school van Kees Boeke, de Bilthovense Werkplaats Kindergemeenschap. Deze foto is genomen op een kamp van de school in Putten. Het is bezoekdag en in het midden, schuin achter de kast, staat Kees Boeke (1884 -1966) zelf. Hij heeft de school in 1926 opgericht, omdat hij samen met kinderen wil bouwen aan een rechtvaardige en verdraagzame samenleving. Vanuit het christendom geïnspireerd ontwikkelt de idealist Kees Boeke zich als overtuigd pacifist, antikapitalist en onderwijshervormer. Hij streeft naar sociocratie, besluitvorming op basis van overeenstemming na — vaak langdurige — discussie. De prinsessen Beatrix, Irene en Margriet waren in de tweede helft van de jaren '40 leerlingen van deze school.

Proletarische manchester kleding heeft in het Openluchttheater veld geruimd voor keurige regenjassen. Leden van de Democratisch-Socialistische Jongeren Vereniging de Nieuwe Koers vieren hun landdag. In 1946 moeten ook de sociaaldemocratische jongeren mee met de 'Doorbraak'. Op initiatief van de PvdA wordt op 28 april van dat jaar Nieuwe Koers opgericht. De nieuwe organisatie is officieel onafhankelijk, maar loopt in de praktijk aan de leiband van de partij. Als tegenprestatie daarvoor betaalt de PvdA een bezoldigde bestuurder van Nieuwe Koers en krijgt de vereniging kantoorruimte op het partijbureau in Amsterdam. "We hebben ze in huis", moet partijsecretaris Kees Woudenberg toen met enige voldoening vastgesteld hebben, maar tot een goedlopende jongerenbeweging zal Nieuwe Koers zich niet ontwikkelen.

Voor kinderen van actieve communisten is de CPN een vanzelfsprekend onderdeel van het dagelijks leven. Hier poseren ze in de Amsterdamse Celebesstraat voor de etalage van het agentschap van de krant van hun ouders: *De Waarheid, Volksdagblad voor Nederland*. Oudere broers en zusjes, vaders en moeders bezorgen *De Waarheid*, die in de eerste jaren na de Tweede Wereldoorlog mede dankzij het verzetsverleden van de CPN een recordoplage bereikt. In 1950 zal van de persen van het *Volksdagblad* ook het gezinsblad *Uilenspiegel* gaan rollen en daarin komen de kinderen van partijgenoten goed aan hun trekken. Het blad is zelfs de aanzet voor een eigen communistische kinderclub, de Uilenspiegelclub (1953).

Studenten van de Amsterdamse Gemeentelijke Universiteit lezen een oproep om steun te verlenen aan de oprichting van een 'politieke faculteit'. Ze staan op de binnenplaats van het gebouw Oudemanhuispoort. Linkse studenten in Amsterdam maken zich na de Tweede Wereldoorlog sterk voor zo'n faculteit, die in hun ogen kan bijdragen tot beter inzicht in de maatschappelijke verhoudingen. Hun tegenstanders zijn bang dat de nieuwe faculteit een communistisch bolwerk wordt. In de loop van 1947 krijgt Amsterdam toch zijn 'politiek sociale faculteit' en over de invulling van de leerstoelen zal nog veel strijd geleverd worden. Een bolwerk van linkse studenten wordt de 'psf' inderdaad ook, maar dat is pas eind jaren '60.

Deze jonge telg van de communistische rode familie viert 1 mei op een praalwagen van het Algemeen Nederlands Jeugdverbond (ANJV). Het ANJV gaat na de Tweede Wereldoorlog van start als jeugdorganisatie van de CPN en voedt pubers op in de politieke strijd tegen onder andere herbewapening en kolonialisme. Het meisje op de praalwagen is daar duidelijk nog te klein voor. Voor haar leeftijdsgroep richten

de communisten in 1949 de Nederlandse Pioniersbond (NPB) op. Lid worden van dit soort organisaties is voor kinderen uit communistische gezinnen een must. Ze leren er van alles over politieke discussies en actievoeren, maar ook volksdansen, koken op een primus en kennis der natuur.

Dit jeugdkamp van de CPN in Soesterberg is genoemd naar de communistische verzetsvrouw Hannie Schaft. Zomerkampen organiseren de communisten in deze jaren regelmatig voor hun kinderen. Op den duur beschikt de partij zelfs over een eigen terrein bij Loenen op de Veluwe. Daar kunnen zo'n achthonderd volwassenen en kinderen tegelijk in tenten worden ondergebracht en het terrein wordt intensief gebruikt. De naam van dit kamp in Soesterberg laat zien dat de politiek en de herinnering aan de oorlog voor de communisten en hun kinderen nooit ver weg zijn. Toch doen ze op de kampen van de CPN wat voor kinderen van deze leeftijd eigenlijk altijd en overal wordt georganiseerd: ochtendgymnastiek, wandelen, sport, zitten bij het kampvuur en een bonte avond als afsluiting.

Hamers en sikkels zijn onmisbare toneelrekwisieten in communistische kring in de periode van de Koude Oorlog. Deze jonge communisten voeren hier een lekenspel op in gebouw De Valk in Amsterdam. De solidariteit met de Sovjet-Unie wordt met grote ernst in beeld gebracht. Met dit soort strijdbare cultuur-uitingen worden de naoorlogse communistische vieringen opgeluisterd. Vooral het jaarlijkse Waarheid-festival groeit uit tot een belangrijk evenement. De leden van de CPN en andere belangstellenden komen er overigens behalve voor strijdcultuur ook voor amusement. Er wordt niet alleen met sikkels en hamers gezwaaid, maar ook geluisterd naar accordeonmuziek of naar een lied als 'De boer had maar enen schoen', vertolkt door het communistische koor Morgenrood.

Met zijn vieren kun je precies drie lamellen met eten dragen. Deze jonge deelnemers aan een vakantiekamp van de AJC bij het Meenthuis in Blaricum worden Zwaluwen genoemd. Die naam wordt na de oorlog gekozen voor de groep achttot twaalfjarigen. Het werk met deze jonge kinderen krijgt in de naoorlogse jaren veel aandacht in de AJC en oudere leden belasten zich vaak met de leiding. De aanwas van nieuwe leden laat in de eerste jaren na de Tweede Wereldoorlog bepaald niet te wensen over. Omstreeks 1950 schommelt het aantal Zwaluwen rond een gemiddelde van tweeduizend. Het heeft de AJC als jeugdorganisatie uiteindelijk niet kunnen redden.

J e ligt op een strozak, de tent gaat dicht met een touwtje en je bent onder gelijkge-zinden van gelijke sekse. Zo kamperen ze in Vierhouten in de jaren '50 van de twintigste eeuw. De terreinen van de AJC komen na de Tweede Wereldoorlog weer volop in gebruik en wel in de eerste plaats voor het jeugdwerk. Behalve de Zwaluwen (acht tot twaalf jaar) zijn er de Trekvogels (twaalf tot zestien jaar), die vooral in de eerste jaren na de bevrijding in grote getale vertegenwoordigd zijn. AJC-ers tussen de zestien en 23 heten Rode Wachten. Behalve voor de eigen leden van de AJC worden in Vierhouten ook vakantiekampen georganiseerd voor kinderen van vakbondsleden van het NVV.

" **O**veral immers, waar jonge mensen de behoefte hebben onderling eens te praten over wat er in de politiek omgaat, bestaat de mogelijkheid een jongerenkern in te richten, die zich kan aansluiten bij de Federatie van Jongeren Groepen." Dat schrijft het bestuur van de PvdA monter in het begin jaren '60 uitgegeven propagandaboekje *PvdABC*. De in 1946 opgerichte jongerenvereniging Nieuwe Koers blijkt te weinig speelruimte te hebben om jongeren aan te spreken en wordt in 1959 opgevolgd door de FJG. Om toe te treden tot de FJG hoef je geen lid van de PvdA te zijn. De organisatie opereert onafhankelijk, formuleert eigen standpunten en wordt door de PvdA-leiding dan ook vaak als lastig ervaren.

Leden van de Nederlandse Jeugdbond voor Natuurstudie (NJN) zijn op vakantie in Gulpen (Limburg). Anders dan andere vooroorlogse jeugdorganisaties slaagt de NJN er ook in de tweede helft van de twintigste eeuw nog lang in een traditie van natuurbeleving door jongeren voort te zetten. Historicus en oud-NJN-er Ger Harmsen weet in zijn proefschrift *Blauwe en rode jeugd* (1961) hoe dat komt: "In weer en wind, gehuld in anorakken of oliejassen en met laarzen aan, struinden zij door slikken en moerassen, langs stranden of uiterwaarden. Een groep jongeren die op deze wijze haar afkeer van het comfort der grotestadsbeschaving demonstreert, is een veel duurzamer verschijnsel dan de idealistische vrije jeugdbeweger."

Een student brengt zijn stem uit voor de ledenraad van de Algemene Studenten Vereniging Amsterdam (ASVA). Het stembureau is ingericht in de mensa in de Damstraat, de plaats waar studenten voor een redelijke prijs een maaltijd kunnen eten. De ASVA is in 1945 opgericht om de materiële belangen van studenten te behartigen. Met de toeloop van studenten uit andere milieus dan de traditionele, verandert de organisatie in de loop van de jaren '50 en '60 van karakter. Halverwege de jaren '60 gaat de ASVA zich steeds duidelijker politiek opstellen en niet alle leden zijn het daarmee eens. Dat leidt tot felle discussies in eigen kring en dus ook tot spannende ledenraadsverkiezingen.

De PvdA doet op het Meifestival van 1966 in de Jaarbeurshal in Utrecht een geslaagde poging om de jongeren te bereiken. Op het programma staat een optreden van de Britse beatgroep The Kinks. Hier op de foto is het nog rustig, maar tijdens het concert zullen de jonge sociaaldemocraten nog flink uit hun dak gaan. De houten vouwstoeltjes zullen niet in het gelid blijven staan. Er zijn ouderen die moeite hebben met de veranderingen. "De jonge mensen komen alleen maar voor de Kinks en dergelijke", verzucht een bestuurslid in de Partijbestuursvergadering van 26 mei 1966. Er staat de PvdA dat jaar nog heel wat te wachten met de jongeren en het blijft niet bij muziek.

 IISG I FOTO TIELEMAN VAN RIJNBERK

Een enkel mannelijk lid van de Socialistische Jeugd (SJ) lijkt de ogen moeilijk af te kunnen houden van het enige meisje, dat blijkbaar een opmerkelijk minirokje draagt. De ruimte waar het gezelschap vergadert, ziet er met rode vlaggen en een maoïstische muurposter strijdbaar uit. In de SJ organiseren zich in de jaren '60 jongeren die de confrontatie met het gezag niet uit de weg gaan. Hier vergadert de afdeling Rotterdam en er worden plannen gesmeed om de Taptoe in Delft te verstoren. Deze jaarlijkse uitvoering van militaire muziekkorpsen staat in deze jaren in linkse kring bekend als de NAVO-Taptoe. Men stelt er een eer in om roet in het eten te gooien en daarbij nemen deze jongeren het voortouw.

Het verhaal gaat dat de bezetters van het Maagdenhuis in Amsterdam via deze geïmproviseerde loopbrug naast voedsel ook voorzien zijn van grote voorraden anticonceptiepillen. De brug verbindt het Maagdenhuis over de Handboogstraat met de Universiteitsbibliotheek. De agenten die met een cordon het bezette Maagdenhuis hermetisch willen afsluiten van de buitenwereld, hebben het nakijken. De brug is eerst opgetrokken uit ruwe planken en aan elkaar geknoopte ladders, later zullen solidaire communistische bouwvakarbeiders voor een veiliger verbinding zorgen. De Maagdenhuisbezetters strijden voor 'medezeggenschap op alle nivo's', ze willen dat studenten invloed krijgen op het bestuur van de universiteit. De politie ontruimt het gebouw op weinig zachtzinnige wijze, maar die medezeggenschap komt er op den duur wél.

   IISG | FOTO PAUL ZONNEVELD

Deze aanmoediging van het NVV-jongerencontact is niet bedoeld als opwekking het blikje met bier te ledigen. De jongerenorganisatie houdt een milieuconferentie en wil dat het gebruik van achteloos weggeworpen blikjes aan banden wordt gelegd. Het milieu is met de publicatie van het rapport *Grenzen aan de groei* van de Club van Rome in 1972 een belangrijk thema en leeft sterk bij jongeren. Het 'bier in blik' is in Nederland nog een nieuwtje en trekt de aandacht. Of deze actie van het NVV-jongerencontact erg aangeslagen is bij de achterban, blijft de vraag. Resultaat heeft hij in ieder geval niet gehad. De verkoop van bier en frisdrank in blik is sinds het begin van de jaren '70 alleen maar gegroeid.

Het bezetten van het Maagdenhuis is voor een hele generatie linkse studenten die na 1969 gaat studeren haast een obsessie. In 1978 komt het twee keer tot gezamenlijke overnachtingen in het bestuurlijk centrum van de Universiteit van Amsterdam. In april duurt het drie dagen en in november zelfs drie weken, maar zoals in 1969 wordt het niet meer. De bezetters staan onder aanvoering van de actiegroep 'Geen student de vakgroep uit' en richten zich tegen pogingen van het kabinet om de zwaarbevochten zeggenschap van studenten over de inhoud van de studie terug te schroeven. Ze verliezen de strijd en minister van Onderwijs Arie Pais (VVD) krijgt zijn zin: voortaan zullen hoogleraren, lectoren en wetenschappelijk medewerkers in de vakgroepen de dienst uitmaken.

De Jonge Socialisten (JS) in de PvdA timmeren in de strijdbare jaren '80 flink aan de weg. De PvdA zit sinds 1982 in de oppositie en in Den Haag maakt het kabinet van Ruud Lubbers de dienst uit. De jongeren in de PvdA bedienen zich sinds 1977 van de nieuwe naam Jonge Socialisten. Ze voelen zich deel van een lange traditie die begint met de jeugdbond De Zaaier en via de Jongeren Organisaties (JO's), de AJC, Nieuwe Koers en de Federatie van Jongeren Groepen doorloopt dat de eigen tijd. Meer dan de FJG willen de Jonge Socialisten binnen de PvdA een horzelfunctie vervullen en ze stellen zich onafhankelijk op. De organisatie brengt belangrijke PvdA-kopstukken voort als Felix Rottenberg en Sharon Dijksma.

Het gebroken geweertje prijkt op de revers van deze Jonge Socialist boven een speldje dat verraderlijk veel lijkt op een vijfpuntige rode ster zoals we die kennen van communistisch China en de naoorlogse Oost-Europese volksdemocratieën. Zo worden oude symbolen van verschillende pluimage in de jaren '80 door een nieuwe generatie jongeren probleemloos bij elkaar gebracht. Ze geven daarmee uiting aan hun strijdbare stemming en de Jonge Socialisten zijn in het decennium van de kraakbeweging niet de enigen. Zeker voor jongeren valt er in deze sombere jaren van bezuiniging en jeugdwerkloosheid een hoop te bevechten. Een chronologie van wat premier Ruud Lubbers de jongeren heeft aangedaan staat te lezen op zijn regenjas.

PvdA-kopstuk Ella Vogelaar bezoekt in haar hoedanigheid van minister van Wonen Wijken en Integratie een basisschool in de Utrechts wijk Ondiep. Andere tijden brengen andere jongeren en die zijn vaak moeilijk te bereiken. In bepaalde wijken in de grote steden heeft het merendeel van de jongeren een allochtone achtergrond. Door taalproblemen op school, achterstelling op de arbeidsmarkt, discriminatie en eigen wangedrag ontstaan in die wijken soms ernstige problemen. Bij de PvdA blijven ze op zoek naar contact met de jeugd. 'Samen buurten, samen binden' is het motto van de rondgang die minister Vogelaar kort na haar aantreden maakt langs 'haar' veertig aangewezen 'aandachtswijken'.

Komt hier van onder de poort van het Haagse Binnenhof een nieuwe generatie socialistische jongeren aangestormd? Het is het bestuur van ROOD, de jongerenorganisatie van de Socialistische Partij (SP). Op de vleugels van de electorale successen van de moederpartij groeit ROOD in het nieuwe millennium als kool. Het lidmaatschap staat open voor jongeren van veertien tot 28 jaar en die moeten vanaf hun zestiende ook lid worden van de SP zelf. Het ledental schommelt rond de 2000 en ROOD organiseert onder andere acties op het gebied van milieu, onderwijs en huisvesting. Anders dan sommige van hun verre voorgangers marcheren de socialistische jongeren van ROOD weinig in optocht over straat, maar ze weten de weg op internet goed te vinden.

ANP | FOTO SUZANNE VAN DE KERK

Vertegenwoordigers van FNV-Jong en de jongerenorganisaties van GroenLinks en de SP brengen een bezoek aan een supermarkt in Delft. Ze informeren bij jonge werknemers naar de effecten van de Flexwet. Jongeren sluiten zich niet vanzelf aan bij politieke organisaties, dus krijgen ze bezoek op hun werk. Bij ROOD van de SP zijn de leden zeer actief en de afdelingen schieten als paddestoelen uit de grond. FNV-Jong zet in op degelijke belangenbehartiging en ieder FNV-lid van onder de 35 jaar is automatisch lid. Bij GroenLinks doen ze blijkens de website van Dwars een beroep op het idealisme van de jeugd: "Dwars wil de wereld veranderen en is er van overtuigd dat dit mogelijk is."

Raderwerk. Werken en staken

SJAAK VAN DER VELDEN

Gansch het raderwerk staat stil als uw machtige arm het wil is in het Nederlandse collectieve geheugen gegrift als hét beeld van een succesvolle werkstaking. De prent van Albert Hahn met deze leus dateert uit 1903 en heeft in feite betrekking op een fiasco. Een door de socialistische beweging uitgeroepen algemene staking kwam niet van de grond en eindigde bovendien in onderlinge verscheurdheid. De werkstaking als actiemiddel komt in Nederland al in de veertiende eeuw voor. Vakbonden ontstaan pas zes eeuwen later. Van meet af aan zijn in de socialistische vakbeweging de meningen over strategie en organisatievormen verdeeld. De 'moderne' vakbeweging is terughoudend met het hanteren van het stakingswapen. Soms worden spontane acties van werknemers alsnog door de bonden overgenomen. In de jaren '70, bij teruglopende conjunctuur, doet de bedrijfsbezetting opgeld als actiemiddel. In 2004 organiseren de drie grote vakcentrales eensgezind een massale demonstratie tegen het regeringsbeleid. Ook dan staat het raderwerk niet stil, maar de actie boekt wel resultaat, want het kabinet past zijn plannen aan. De vakbeweging viert de overwinning.

Dat zijn ze dan, de mannen voor wie de burgerij beefde en sidderde. Netjes in het pak en serieus kijken ze in de camera. Toch is het wel te begrijpen dat ze werden gevreesd. Neem bijvoorbeeld de man rechts op de foto, Gerrit van Erkel, een van de voormannen van de Amsterdamse vakbond van huisschilders. Hier is hij aanwezig in zijn dubbelfunctie als secretaris van de radicale vakcentrale het Nationaal Arbeids Secretariaat (NAS). Het NAS dat in 1893 was opgericht, wilde het kapitalisme niet hervormen, maar tijdens een revolutie omver werpen. Daar was ook voorzitter Jan van Zomeren (tweede van links), van beroep metselaar, het van harte mee eens.

Diamantbewerkers organiseren zich in 1894 als eerste in ons land in een zogeheten moderne vakbond. Het kenmerk van een moderne bond is dat de organisatie heel strikt is. Wie bijvoorbeeld zijn contributie niet betaalt, wordt geroyeerd. Het bestuur is tussen de congressen de baas en de leden dienen zich naar de bestuursbesluiten te schikken. Het gevolg van deze aanpak was dat de bond niet vaak staakte, maar áls ze het deed werd meestal gewonnen. Hoge contributies zorgen namelijk voor een goed gevulde stakingskas. De mannen op deze foto uit 1898 vormen het trotse dagelijks bestuur. Geheel links zit Henri Polak, die nog steeds wordt gezien als een van de grote mannen van de Nederlandse vakbeweging.

In januari 1903 staken de arbeiders van de Nederlandse spoorwegbedrijven. Ondernemers en politici spreken er schande van dat arbeiders het hele land kunnen verlammen. Om hen tegemoet te komen komt de regering van Abraham Kuyper zeer snel met een voorstel tot wetswijziging. Als deze wet wordt aangenomen, zullen de mannen van het spoor en alle ambtenaren niet meer mogen staken. Deze aantasting van het stakingsrecht roep veel weerstand op. Een tweede algemene proteststaking gaat echter jammerlijk verloren. De regering roept duizenden reservisten onder de wapenen, zoals deze mannen op het Koningsplein in Amsterdam. De wet van Kuyper zal tot 1980 van kracht blijven.

Coöperatieve Broodbakkerij
de Tydgeest be Winkel

Socialisten beseffen al vroeg dat het geen zin heeft om alleen maar te strijden tegen het kapitalisme. Door met praktische alternatieven voor bestaande instellingen te komen, wil men laten zien dat een andere samenleving niet alleen een utopie hoeft te zijn. De coöperatieve beweging is het middel bij uitstek om te bouwen aan zo'n alternatief. Hierbij wordt gedacht aan collectief inkopen doen en de winst delen, of samen werken in een bedrijf dat eigendom is van de werkers. Ook gebruikt men de coöperatie wel om mensen die door staking brodeloos zijn geworden en die nergens meer aan de bak komen, toch aan werk te helpen. Hier poseren de werknemers van de Coöperatieve Broodbakkerij en Verbruiksvereeniging De Tijdgeest in het Noord-Hollandse Winkel geduldig voor de fotograaf.

Zeelieden in Amsterdam, Rotterdam, Engeland, België en zelfs de Verenigde Staten staken voor een hoger en uniform loontarief. Vooral in de Amstelstad gaat het er hard aan toe. Als op 21 juni een trein met Duitse onderkruipers arriveert, breken er rellen uit. Solidaire havenarbeiders bemoeien zich er ook mee. Er zijn rellen op de Eilanden, een oploop bij de Beurs en bij ernstige ongeregeldheden op Kattenburg vallen een dode en dertien gewonden. De politiepost aan de Czaar Peterstraat zal met deze 'Bloednacht van Kattenburg' op 6 juli te maken krijgen. Opstootjes, waaronder een moordaanslag op een werkwillige, duren voort tot ver in de maand juli.

In 1911 voert de diamantsector in de hoofdstad voor de arbeiders een achturige werkdag in. Deze kwam er niet zomaar, maar moest worden bevochten op de diamantairs die hun personeel liever lange dagen lieten maken. Dit terwijl ook toen al lang bekend was dat de mens na een uur of acht nauwelijks meer productief is. De strijd voor de acht-urendag is een van de speerpunten van de moderne arbeidersbeweging met haar centraal geleide vakbonden. Trots laten de arbeiders hier op de trap van Stoomdiamantslijperij Boas zien dat de verkorting van de arbeidsdag te danken is aan het strijden in een organisatie: de Algemeene Nederlandsche Diamantbewerkers Bond.

De geur van vers gebakken brood die al vroeg in veel straten te ruiken is, heeft een keerzijde. De mannen en jongens die dat brood bakken moeten voor dag en dauw op. De 'bakkersnachtarbeid' gaat vergezeld van zeer lange werkweken: tachtig uur is geen uitzondering. Enige tientallen jaren heeft de vakbeweging strijd gevoerd voor een verbod op vooral de nachtarbeid van bakkers. De mannen die hier in 1914 met een omgebouwde kar door Amsterdam lopen roepen op om in Bellevue bijeen te komen. Mede door hun acties komt vijf jaar later een verbod op nachtarbeid van bakkers in de Arbeidswet. Voor een bedrijf als Verkade trouwens aanleiding om te stoppen met het broodbakken.

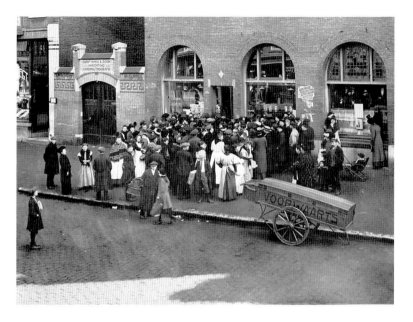

Aan de Eerste Wereldoorlog doet Nederland niet mee, maar het ondervindt wel de gevolgen. Veel vluchtelingen, vooral uit België, komen naar ons land en moeten ondergebracht worden in kampen. De oorlogssituatie heeft bovendien voor een handelsland als Nederland grote gevolgen. De regering grijpt diep in de economie in. Een van de maatregelen is de distributie van goederen die niet goed meer via de vrije markt bij de consument kunnen komen. Hier staan mensen in de rij voor de distributie van 'regeringsvet'. Het tafereel speelt zich in 1915 af voor de deuren van de Algemeene Arbeiders-Coöperatie Voorwaarts te Rotterdam.

De socialistische beweging heeft sinds 1891 een dag waarop men feest viert over de behaalde resultaten, maar tegelijk wil laten zien dat nog lang niet alles is bereikt. Die dag is 1 mei. Tegenwoordig concentreert de 1 meiviering zich in tehuizen voor ouderen, maar voor de oorlog waren er overal in het land manifestaties en demonstraties. Zeker in tijden van onrust trokken de meifeesten zowel veel deelnemers als veel bekijks. 1920 is zo'n jaar. Het is vlak na de naoorlogse revoluties elders in de wereld, er vinden veel stakingen plaats en de regering komt in dit jaar zelfs met een anti-revolutiewet. Daar laten deze Amsterdamse demonstranten zich niet door weerhouden. De afdeling Watergraafsmeer van de SDAP marcheert mee op het Rokin.

De economische crisis zorgt ervoor dat het aantal geregistreerde werklozen in Nederland oploopt van 74.000 in 1930 tot 368.000 zes jaar later. Er bestaat een werkloosheidsverzekering, maar die is vrijwillig en veel arbeiders hebben daarom helemaal geen verzekering. Zij zijn aangewezen op de armenzorg, ofwel de steun. Voor gehuwde langdurig werklozen bestaat ook nog de werkverschaffing. Deze mag alleen werken uitvoeren die niet concurreren met het 'vrije bedrijf' en ook de lonen moeten lager liggen dan in het bedrijfsleven gebruikelijk is. De arbeiders die werken aan de aanleg van het park de Leidse Hout in Leiden verdienen in 1931 ongeveer twintig gulden per week. Later dalen de lonen nog, wat de nodige onrust tot gevolg heeft.

De jaren '20 vormen een periode van hoogconjunctuur, voor mensen met werk de *roaring twenties*, een tijd van feesten, charleston en korte rokken. Het lijkt allemaal niet op te kunnen, maar daarin vergist men zich deerlijk. In 1929 stort de Amerikaanse economie in en sleurt de rest van de wereld mee. Een van de gevolgen massale werkloosheid. Geen werk betekent vrijwel geen inkomen. Werklozen krijgen

een kleine uitkering, maar moeten zich dan wel dagelijks melden om te bewijzen dat ze niet stiekem werken. Geregeld komt het in de jaren '30 tot relletjes en manifestaties, hier demonstreren werklozen op de trappen van het Beursgebouw in Amsterdam.

Bij vakbonden denkt men in eerste instantie aan havenarbeiders en bouwvakkers. De witte boorden die op kantoor hun arbeid verrichten hebben zich echter ook al vroeg georganiseerd. Zo richten Rotterdamse handelsreizigers in 1874 al een bond op. Hieruit komt later de Algemeene Nederlandsche Bond van Handels- en Kantoorbedienden Mercurius voort. In 1931 discussiëren de leden van Mercurius hartstochtelijk over de werkende vrouw. Dat een ongehuwde vrouw werkt is acceptabel, maar zodra zij trouwt moet het afgelopen zijn. Het is een veelgehoord standpunt en ook de wetgever denkt daar zo over, getuige diverse wetsvoorstellen om huwende ambtenaressen en onderwijzeressen te ontslaan.

In de jaren '30 komen velen op straat te staan omdat ze in een sector werken waar ook voor de ondernemers geen droog brood meer te verdienen valt. In andere sectoren gaat de productie wel voort, omdat het product niet marktgevoelig is. Brood is een dergelijk product. Mensen zullen altijd proberen aan brood te komen, hoe arm ze ook zijn, want het is een eerste levensbehoefte. Bakkers worden dus niet in de crisistijd massaal ontslagen, zoals anderen. Wel proberen de patroons hun kosten te drukken en hoe kan dat makkelijker dan door de lonen te verlagen. De Haagse afdeling van de Bakkersbond (opgericht 1895) probeert te redden wat er te redden valt.

Twee titanen uit de internationale vakbeweging ontmoeten elkaar. Beiden spelen een grote rol in de Internationale Vakbond van Transportarbeiders (ITF). De Britse socialist en stakingsleider Tom Mann (links) heeft in 1896 deze nog steeds bestaande organisatie zelfs mede opgericht. Ter gelegenheid van Manns tachtigste verjaardag bezoekt de Nederlandse vakbondsman Edo Fimmen hem in 1936 te Londen. Fimmen is zijn vakbondscarrière in de bond van handels- en kantoorpersoneel begonnen, maar in 1919 secretaris van de ITF geworden. Transportarbeiders en vooral

havenwerkers hebben vanouds een radicaal imago. Fimmen is daarop geen uitzondering, hij is door collega's in de sociaal-democratie regelmatig uitgemaakt voor de 'communistische cel in onze beweging'.

Ondanks een stakingsverbod komen in de begintijd van de Duitse bezetting stakingen nog wel voor. Bijvoorbeeld bij het puinruimen in Rotterdam, maar ook in de werkverschaffing. Omdat de Duitsers nauwelijks optreden tegen de stakers, vat men weer moed. Februari 1941 is in Amsterdam een tijd van sociale onrust en stakingsdreiging. Als dan ook nog duidelijk wordt dat bezetter zijn antisemitische maatregelen echt wil gaan uitvoeren en de eerste razzia op de joden een feit is, roept de illegale CPN op tot een algemene staking. Volslagen onverwacht geven tienduizenden mensen, vooral in de regio Amsterdam, gevolg aan deze oproep. Overal groepen mensen samen, zoals hier op de Sarphatistraat. De Februaristaking is een feit.

De Duitse bezetter onderneemt pogingen om het Nederlandse economisch
bestel te reorganiseren. Een van de zaken die ze daarbij heel belangrijk vinden is
een vakbeweging die niet meer, zoals voor de oorlog, verdeeld is. Eerst wordt de
NSB-er H.J. Woudenberg, voorzitter van een vooroorlogse nationaal-socialistische
vakbond, aan het hoofd van de bestaande vakcentrales gesteld. Later worden die
opgedoekt om op te gaan in het Nederlandsch Arbeidsfront (NAF). Van klassenstrijd
wil het NAF niets weten. Werkgevers en werknemers dienen in een arbeidsgemeen-
schap samen te werken. Men is niet bepaald enthousiast, ondanks de gebruikte symboliek die veel weg heeft van die van het reguliere socialisme. Op de foto roepen
enkele sympathisanten van de NAF in Groningen belangstellenden met propaganda-
borden op, naar een 'Kameraadschapsavond' te komen.

Vlak na de oorlog begint Nederland een koloniale oorlog tegen de Indonesische republiek. Die mag niet oorlog heten, maar politionele actie. Een arbeider van de Samenwerkende Havenbedrijven (SHB) Amsterdam uit zijn onvrede over de eerste politionele actie in de zomer van 1947. De directie ontslaat deze raddraaier, maar zoals zo vaak het geval is, is dit middel erger dan de kwaal. De collega's van de ontslagene leggen nu massaal het werk neer. Al na twee uur mag de bestrafte havenarbeider terug keren, waarop de stakers ook uitbetaling van de gestaakte uren eisen. Het gevolg is een staking van een hele week door bijna 1500 man. Het mooie weer verleidt een aantal stakers aan de Conradstraat om in de open lucht te overleggen.

In de jaren van de wederopbouw wordt in veel bedrijven nog meer dan voorheen de nadruk gelegd op verhogen van de productie. Uit een onderzoek blijkt dat de arbeiders van de Amsterdamse meelfabriek Holland al bijna anderhalf keer zo productief zijn als voor de oorlog. De arbeiders willen dat het bedrijf een econoom in dienst neemt om deze zaak goed uit te zoeken. Omdat de directie weigert aan dit verzoek te voldoen, leggen in augustus 1947 zo'n 175 mensen het werk neer. De bonden

weigeren de stakers te steunen en daarom zamelen ze zelf geld in. Dat is wel nodig ook, want het werk wordt pas eind maart 1948 hervat. De staking wordt als verloren beschouwd.

Wie de jeugd heeft, heeft de toekomst. Dat is in de vakbeweging altijd goed ingezien, vandaar dat vakbonden vanaf hun ontstaan hebben geprobeerd om jongeren te organiseren. Ook de radicale stromingen zijn doortrokken van dit besef. De uiterst linkse Eenheids Vak Centrale (EVC) organiseert in juli 1948 het

Nationaal Congres van Werkende Jeugd. Gezien de uitdrukking van de meisjes op de foto lijkt er niet alleen maar zware kost te worden besproken. Over het algemeen kunnen jongeren in die tijd trouwens geen echt lid worden, het aspirant-lidmaatschap is het hoogst haalbare. De EVC, een schepping van kort na de oorlog met een communistische achtergrond, is in 1948 al weer op zijn retour.

Het lijkt een vreemde eend in de bijt, aparte organisaties voor jongeren of vrouwen in de vakbeweging. In principe is de vakbeweging naar vak of beroep georganiseerd. Toch ziet men al vroeg het belang in van afdelingen voor bijzondere groepen. Huisvrouwen bijvoorbeeld moeten bij het werk van de bond worden betrokken om hun mannen te kunnen ondersteunen. Het gevaar loert immers dat zij als beheerster van de huishoudportemonnee zich tegen een staking of zelfs het betalen van de vakbondscontributie zouden keren. Zeker in tijden van krapte. Een gezellige bijeenkomst zoals deze Tweede Landdag van de NVV Vrouwenbond op een hete zomerdag in 1950 bevordert de solidariteit, maar veel te vertellen binnen de vakcentrale krijgen de dames niet. Daar moet nog heel wat interne strijd voor worden gevoerd.

Ambtenaren hebben tientallen jaren nauwelijks gestaakt omdat dat van 1903 tot 1980 bij wet verboden was. Een enkele keer is ook voor hen de maat echter vol en trekken zij zich niets aan van de wet. In 1955 gooit het Amsterdamse gemeentepersoneel het bijltje erbij neer. Ook de gemeenteambtenaren willen profiteren van de groeiende economie en eisen hoger loon. Als ze het na lang onderhandelen niet krijgen, breekt een wilde staking uit. De vakbonden zijn er niet blij mee en proberen de mensen aan het werk te praten. Ook de gemeentereiniging staakt en soldaten halen in hun plaats het huisvuil op. De gemeente ontslaat 62 mensen, die pas in 1985 worden gerehabiliteerd.

IISG | FOTO BEN VAN MEERENDONK

In de jaren '50 bepaalt de overheid de ontwikkeling van het peil van de lonen, maar ook van de prijzen. Het is de bedoeling dat de bouw er in 1956 drie procent loon bij krijgt, maar de aannemers mogen deze loonsverhoging niet doorberekenen in de prijzen. Met dit vooruitzicht weigeren de aannemers de loonsverhoging uit te betalen. Dat leidt tot een grote staking van bijna 20.000 bouwvakkers. Dan eens hier, dan weer daar leggen zij door het hele land het werk neer. De acties houden al met al ruim twee maanden aan, maar ze mogen niet baten. Omdat de vakbonden geen steun geven aan de stakers, die hier genieten van een voorjaarszonnetje, gaat de strijd verloren.

Minister van Sociale Zaken J.G. Suurhoff reikt aan dertig 65-jarigen de maandelijkse uitkering uit van de Algemene Ouderdomswet (AOW). De heer Bakker uit de Boterdiepstraat in Amsterdam is de allereerste Nederlander met een AOWtje, maar deze mevrouw is ongetwijfeld net zo blij met haar ƒ 71,51 (€ 32,45). In die tijd komen alleen mannen en ongehuwde vrouwen in aanmerking voor het ouderdomspensioen. Gehuwde vrouwen delen mee in het pensioen van hun man. De AOW is in het begin zeker geen vetpot, maar vergeleken met de vroegere situatie een hele vooruitgang. Alle Nederlanders zijn vanaf nu verzekerd van een oude dag waarin ze geen beroep hoeven te doen op armenzorg en familie.

Bouwvakkers belagen een politieagent in de Amsterdamse Raadhuisstraat. Zij staken begin juni omdat de vakbonden twee procent administratiekosten willen inhouden op de uitbetaling van het vakantiegeld. Deze inhouding zou alleen gelden voor bouwvakkers die geen lid zijn van de grote vakbonden, wat kwaad bloed zet bij ongeveer vijfduizend arbeiders. De staking loopt uit de hand, al helemaal als er een dode valt. De stakers zijn zeer ontstemd over het feit dat *De Telegraaf* schrijft dat die aan een hartstilstand is overleden, terwijl de man volgens hen door de politie in elkaar is geslagen. Honderden trekken op naar het gebouw van de krant en daar voltrekt zich wat als het Bouwvakoproer de geschiedenisboeken in is gegaan. Na twee dagen keert de rust weer.

Arbeiders van een aantal strokartonfabrieken in Groningen eisen hogere lonen en uiten ook hun onvrede over de sluiting van drie bedrijven. Vier weken lang legt het personeel van een groeiend aantal bedrijven het werk telkens voor een dag neer. De erkende vakbonden willen met deze actie niets te maken hebben. Een bestuurder van de vakbondsfederatie NVV weet zelfs te melden dat de bevolking van Oude Pekela niet erg ontwikkeld is en het aantal kinderen dat buitengewoon onderwijs volgt vrij hoog. Dat levert het NVV niet veel sympathie op. De Groningse communist Fré Meis voelt beter aan wat er onder de bevolking leeft en treedt op als woordvoerder van de 2600 stakers.

Onder druk van de leden besluit de Industriebond-NVV onder leiding van Arie Groenevelt in 1972 tot staken in de grootmetaal. De, overigens bescheiden, looneis en de dreigende staking schieten de werkgevers in het verkeerde keelgat. Zij spannen een kort geding aan en winnen dat: de bond mag niet staken. Nog veel erger dan deze nederlaag vinden de arbeiders de opmerking van werkgeversadvocaat Pels Rijcken, dat de vergadering van de bond hem deed denken aan de bijeenkomsten van de nazi's. Dertigduizend arbeiders gaan nu in wilde staking en houden dat drie weken vol. Hier verlaat het personeel van Gusto (Schiedam) de werf nadat het stakings-verbod bekend geworden is.

Staken is een actiemiddel dat voor de werknemers niet veel zin heeft als het voortbestaan van het bedrijf wordt bedreigd. Bedrijfssluitingen komen in de jaren '70 steeds vaker voor. Al tamelijk snel ontdekken werknemers dat ze het bedrijf in een dergelijke situatie beter kunnen bezetten dan in staking te gaan. Als AKZO in 1972 dreigt de kunstzijdefabriek ENKA in Breda te sluiten, gaat het personeel tot bezetting over. Het is een 'nette' bezetting: de productie van de dag wordt afgemaakt en er wordt gewaakt tegen het binnendringen van 'extremistische' elementen. Na een week is de werkgelegenheid voor de helft van de 1800 werknemers gered. Als actiemiddel vindt de bezetting nog veel navolging.

Vrouwen in de industrie staken meestal mee met hun mannelijke collega's. Een enkele keer voeren ze echter actie voor een specifieke vrouweneis. Vrouwen verdienen over het algemeen minder dan mannen, dus als ze hetzelfde werk doen zet dat kwaad bloed. In 1973 staken 350 werkneemsters in de Winschoter ritssluitingfabriek Optilon met als hoofdeis 'gelijk loon voor gelijkwaardig werk'. Het hele land toont belangstelling voor deze moedige staaksters, maar ze krijgen geen steun van de vakbeweging. Zoals een onderzoekster jaren later schreef: "Nog altijd staat de Optilon-staking geboekstaafd als het voorbeeld van een onsolidaire houding van de vakbonden tegenover vrouwen." Met dank aan de bonden wint de directie deze staking. Later krijgen de staaksters nog wel een prijs van het vrouwenblad *Libelle*.

In de jaren '70 neemt de werkloosheid met sprongen toe. Economen en politici hebben jaren lang beweerd dat de vooroorlogse werkloosheid niet meer kan terugkeren, maar het gebeurd toch. Ondanks de relatief goede voorzieningen voor werklozen betekent baanverlies ook verlies van inkomen. Na enige tijde komt de werkloze in de bijstand, waar de regels streng zijn. Als de partner een eigen inkomen heeft, dan wordt daar bij de vaststelling van de uitkering rekening mee gehouden. Het Amsterdams Werklozen Comité voert hier in 1975 actie tegen. Tot massale protesten komt het nauwelijks omdat werkloosheid vooral een individueel probleem is. De werkloze staat niet meer, zoals voor de oorlog, dagelijks in lange rijen te wachten om te stempelen voor zijn uitkering, hetgeen een gevoel van eenheid geeft.

Eind jaren '60 wordt het steeds moeilijker voor de Nederlandse scheepswerven om op de internationale markt te concurreren. Als ze aankloppen om overheidssteun, verbindt de staat daaraan de voorwaarde dat ze fuseren. Zo ontstaat in 1971 het Rijn-Schelde Verolme (RSV) concern. Ook dit nieuwe bedrijf kan de concurrentie echter niet aan en staatssteun blijft onontbeerlijk. Vele duizenden metaalarbeiders zien hun baan op de tocht staan. Omdat de hele sector het moeilijk heeft, is het voor ontslagen werknemers vrijwel onmogelijk om bij een ander bedrijf aan de slag te komen. Tijdens de hele lijdensweg van de ondergang van RSV vinden acties plaats om het bedrijf te behouden, zoals in hier 1978 in Spijkenisse. In 1983 valt toch het doek.

Door de economische crisis van de jaren '70 staan de lonen al een tijd onder druk. Hoewel de vakbondstop er van overtuigd is dat loonmatiging het beste middel is om uit de crisis te geraken, denken Rotterdamse havenarbeiders daar anders over. Als in augustus 1979 stakende sleepbootbemanningen door de rechter worden veroordeeld, is voor de havenarbeiders de maat vol. Zij leggen het werk ook neer en eisen hoger loon. Ze vinden werkgevers, vakbonden en de meeste politici tegenover zich. Drie weken lang blijven ze buiten de poort onder leiding van een actiecomité, dat steun krijgt van de CPN en de nog jonge SP. Op de foto het stakend sleepbootpersoneel van Smit Internationale. De tegenstand is te groot en de strijd wordt verloren.

Binnen de vakbeweging raakt men er van overtuigd dat de organisaties moesten centraliseren om tegenwicht te bieden aan de concentratie van het bedrijfsleven. Daar komt nog bij dat de katholieke, christelijke en sociaaldemocratische vakcentrales, NKV, CNV en NVV, qua structuur en beleid steeds meer op elkaar gaan lijken. Vanaf de jaren '60 wordt gesproken over de mogelijkheid samen te gaan in één grote vakcentrale. Uiteindelijk haakt het CNV op het laatste moment af, maar de

katholieken van het NKV willen wel. Op 29 september 1980 vindt in Den Bosch het federatiecongres plaats. NVV-man Wim Kok luistert samen met NKV-er Wim Spit aandachtig naar Joop den Uyl, terwijl Ed van Thijn zijn sigaartje rookt. De FNV is geboren.

De verzorgingsstaat ligt bij christen- en sociaal-democraten geregeld onder vuur. Begin 1982 kondigt PvdA-leider Joop den Uyl, op dat moment minister van Sociale Zaken, een wijziging van de ziektewet aan. Niet meer het volledige loon, maar nog slechts tachtig procent zal worden uitgekeerd bij ziekte. Ook de invoering van vijf wachtdagen staat op de agenda. Meer dan honderdduizend mensen voeren onder leiding van de FNV actie. De regering houdt haar poot stijf, maar steeds meer ondernemers worden de vele stakingen en demonstraties beu. Ze beloven daarom om de regeringsmaatregel te repareren. De werknemers merken er daardoor niet veel meer van omdat hun baas de kosten betaalt. Op de foto een actie van de Industriebond-FNV in de havens.

In 1983 kondigt de regering aan dat ambtenaren, trendvolgers en mensen met een uitkering drie procent zouden moeten inleveren. Als het bestaansrecht van de vakbeweging ooit kan worden bewezen, dan is het wel bij dit soort aantasting van de arbeidsvoorwaarden. De ambtenarenbonden begrijpen dit heel goed en na een klein duwtje in de rug van brandweerlieden en buschauffeurs besluiten ze massaal actie te gaan voeren. ABVA-KABO-voorman Jaap van de Scheur wordt het boegbeeld van het massale, maar vergeefse verzet dat wordt gevoerd onder de leus 'Boos op Koos' (waarmee Koos Rietkerk, de verantwoordelijke minister van Binnenlandse Zaken, wordt bedoeld). Op de foto actievoerders van de PTT bij het postkantoor aan de Oosterdokskade in Amsterdam.

Tijdens de werkloosheid van de jaren '70 en '80 komt iedere werkloze in aanmerking voor een uitkering, zonder mensonterende verplichtingen als het twee maal per dag stempelen, zoals voor de oorlog. Na enige tijd WW-uitkering valt de werkloze terug op de bijstand. Als door de bezuinigingsgolf en de vroege pogingen om de verzorgingsstaat te ontmantelen het eerste kabinet-Lubbers in 1984 op die uitkeringen wil korten, komen de bonden toch in verzet. In 1984 organiseert de FNV in Amsterdam een manifestatie tegen de kortingen. Volgens demonstrant Jan Mens toont Lubbers geen greintje gevoel.

In 1986 strijdt de FNV voor een 36-urige werkweek. Die arbeidstijdverkorting is niet bedoeld om het leven te veraangenamen, al zou dat wel een prettige bijkomstigheid zijn. Het hoofddoel van de acties is het terugdringen van de werkloosheid. Ook in de jaren '30 is korter werken door werkenden aangeprezen als middel om meer banen te creëren. Nu de werkloosheid weer erg hoog is, haalt men deze oplossing weer uit de mottenballen. Op 18 april proberen demonstranten onder het motto 'Geef ons de Vijf' druk te zetten op de CAO-onderhandelingen. Na een maand actievoeren bereiken de bonden een loonsverhoging en een betere regeling voor vervroegde pensionering (VUT). Landelijk wordt in 23 bedrijven de 36 uur, overigens stilzwijgend, wel bereikt.

Zo'n 50.000 mensen demonstreren in Amsterdam tegen de plannen van het kabinet-Lubbers om de lonen van ambtenaren en de uitkeringen te bevriezen. In dezelfde week voeren ook politieagenten acties, wat leidt tot een vreemd soort bondgenootschap tussen groepen die elkaar op andere momenten soms het leven zuur maken. De kersverse FNV-voorzitter Johan Stekelenburg praat hier met een aantal jongeren die mogelijk uit de kraak- of milieuscene afkomstig zijn en die tijdens de doorgaans ordelievende demonstraties van de FNV een nieuw verschijnsel vormen. De demonstratie wordt door allerlei groepen aangegrepen om hun grieven te uiten over bijvoorbeeld emancipatie en vluchtelingenwerk.

Vakbonden zijn ooit opgericht om de belangen van hun leden te behartigen. Na ruim een eeuw ontwikkeling van die vakbeweging kijken vakbondsbesturen niet alleen meer naar het belang van hun eigen leden of collega's, maar ook naar andere, bijvoorbeeld nationale belangen. Nu en dan nemen werknemers het heft in eigen hand, zoals hier bij Hoogovens in IJmuiden. Tijdens de loononderhandelingen van 1989 leggen duizend arbeiders van het staalconcern het werk neer. Ze willen dat de bond een hogere looneis stelt. Uiteindelijk gaat men morrend weer aan het werk en accepteert het onderhandelingsresultaat.

Winkelpersoneel is altijd een moeilijk te organiseren beroepsgroep geweest. Vroeger werkte men meestal direct samen met de baas in een kleine zaak en was het lastig voor het personeel zich tegen de patroon te keren. Met de opkomst van de moderne supermarkt verandert dat. In 1980 vindt de eerste staking van personeel bij een supermarkt plaats. Op deze foto zien we Lodewijk de Waal van de FNV in Rotterdam een actie voor hoger loon opstarten. Enkele weken later krijgen de supermarkten er na stakingen in Amsterdam en Zaandam enkele procenten loon bij. In de jaren daarna komt het nog een aantal keren tot staking. Tegenwoordig is een groot deel van het personeel vervangen door studenten en scholieren met een bijbaantje. Wederom een moeilijk te organiseren groep.

NATIONAAL ARCHIEF | ANEFO | FOTO ROB CROES

De vroegere FNV-voorzitter Wim Kok heeft na zijn vakbondscarrière soms heel
wat uit te leggen. Nu hij minister van Financiën is en plannen presenteert om de
WAO te versoberen, zijn veel leden van de FNV verontwaardigd. Een half miljoen
mensen voert in het najaar van 1991 tevergeefs actie tegen dit voornemen van de
regering-Lubbers/Kok. Twee jaar later probeerden werknemers met een grote staking de zaak zo om te draaien dat de regeringsmaatregel in de bedrijven wordt gere-
pareerd. Dat heeft meer succes. Kok gaat in de tussentijd het land in om zijn plannen
toe te lichten. Op 9 februari 1992 is Sittard aan de beurt voor een discussie-bijeen-
komst. De SP houdt de zaak buiten in de gaten.

Sommigen zien ingrepen in de verzorgingsstaat als noodzaak om het stelsel van sociale voorzieningen overeind te houden, anderen zien ze vooral als een afbraak. In 2004 komt de regering-Balkenende met plannen om het voor werknemers moeilijker te maken om eerder te stoppen met werken dan op hun 65ste. 'Langer werken' lijkt in de eenentwintigste eeuw het nieuwe motto van economen en regeringsleiders over de hele wereld te zijn. In Nederland besluiten de voorzitters van de drie vakcentrales om acties te organiseren tegen de regeringsplannen. Het hoogtepunt daarvan is een massale demonstratie op 2 oktober 2004 in Amsterdam. Ongeveer 300.000 mensen trekken door de hoofdstad en na ook nog een stakingsgolf verzacht de regering haar plannen. Een historische overwinning voor de vakbeweging.

ANP | FOTO MARCEL ANTONISSE

Verheffing en vermaak. Media en cultuur

ALBERT BUURSMA

Het uitbrengen van een dagblad is een dure aangelegenheid. Alleen met een ruimhartige gift van de Duitse zusterpartij kan de SDAP zich in 1900 de luxe van een eigen dagblad veroorloven. De persen van de Nederlandse communisten worden vanuit Moskou geolied. De wervende kracht van het woord doet zich eens te meer gelden wanneer de radio zijn intrede doet. De VARA stelt zich bij zijn oprichting in 1928 ten doel de mens te verheffen. Helaas denkt de omroep dit tijdens de

bezetting ook onder Duitse vlag te kunnen doen. Met ijzersterke amusementsprogramma's voor radio en televisie komt de VARA na de oorlog terug. Het verdwijnen van het logo met de rode haan in de jaren '80 valt samen met de ontideologisering van de samenleving. Ook de socialistische dagbladpers gaat nu op weg naar het einde. De laatste rustplaats van De Waarheid en Het Vrije Volk is het Internationaal Instituut voor Sociale Geschiedenis in Amsterdam, waar het culturele erfgoed van de beweging wordt bewaard.

Het blad *Recht voor Allen*, opgericht in 1879 door Domela Nieuwenhuis, wordt vanaf 1880 uitgegeven door Bruno Liebers in Den Haag. Deze in Duitsland geboren typograaf is een internationalist van het eerste uur. In Japan heeft hij flink wat geld verdiend als meester-drukker bij het Bureau Papiergeld van de keizerlijke regering. Terug in Den Haag wordt Liebers de mediamagnaat van de vroege arbeidersbeweging. Vele brochures en krantjes rollen van zijn persen. *Recht voor Allen*, vanaf 1889 dagblad, is de spreekbuis van Domela Nieuwenhuis. Als die in anarchistische richting koerst, keert Liebers zich af. Met een aantal geestverwanten richt hij in oktober 1894 de Haagse SDAP-afdeling op in café De Zeven Kerken van Rome, aan het Spui. *Recht voor Allen* gaat mee met Domela.

De redactie van *Het Volk* met de editie van 16 maart. In het midden Pieter Jelles Troelstra, die de naam van het blad heeft gemunt. "De naam v.h. blad moet maar zijn Het Volk", kladdert hij in 1900 op een briefje. Dankzij een krachtige financiële injectie van de Duitse zusterpartij rolt in maart 1900 *Het Volk, Dagblad voor de Arbeiderspartij* van de pers van stoomdrukkerij Vooruitgang, gevestigd in een voormalig dropfabriekje aan de Geldersche Kade te Amsterdam. Klodders drop sieren er de muren nog. In de eerste jaren is *Het Volk* nog geen volwaardig nieuwsblad, maar meer een strijdorgaan met weinig tekst. In 1902 schrijft de redactie een prijsvraag uit om een tekenaar van wekelijkse politieke prenten te vinden. Het wordt Albert Hahn.

Herman Gorter (1864-1927) wordt onsterfelijk vanwege zijn *Mei, een Gedicht* (1889) met de fameuze beginregels "Een nieuwe lente en een nieuw geluid. Ik wil dat dit lied klinkt als het gefluit..." Het is een ode aan zijn geliefde. Aanvankelijk

maakt Gorter deel uit van de literaire beweging van de Tachtigers en beoefent hij *l'art pour l'art*. Rond 1895 wendt hij zich tot het marxisme en bedt hij zijn dichtkunst in het socialistisch ideaal. In 1897 treedt hij toe tot de SDAP, spreekt veel op partijbijeenkomsten en schrijft in de partijkrant. Zijn levensstijl als heer van stand, zeiler, cricketer en tennisser, wekt irritatie bij partijgenoten. Gorter opereert bovendien op de uiterst linkse vleugel. Hij verlaat in 1909 de SDAP en wordt uiteindelijk overtuigd aanhanger van het radencommunisme.

Dichteres Henriette Roland Holst-van der Schaik (1869-1952) is van groot belang geweest voor het uitdragen van het socialistisch ideaal. Afkomstig uit een welgesteld notarisgezin, trouwt zij met beeldend kunstenaar Richard Roland Holst. Ze

raakt bevriend met dichter Herman Gorter, die haar aanzet tot het lezen van Marx. Op 27-jarige leeftijd wordt ze SDAP-lid. Avond aan avond roept zij vervolgens in rokerige zaaltjes als deze de arbeiders op hun armzalige lot te verbeteren. In 1911 stapt ze als orthodox-marxiste uit de SDAP. Na enkele jaren partijloosheid richt zij in 1915 met enkele SDAP en SDP-leden de Revolutionair Socialistische Vereeniging op die later opgaat in de SDP, de latere communistische partij. In haar laatste levensfase wendt ze zich tot het religieus geïnspireerde pacifistisch socialisme.

De redactie van *Het Volk* in actie waaronder, zittend met pijp, hoofdredacteur Ankersmit. De ontwikkeling van dit sociaaldemocratische dagblad is in de eerste jaren allesbehalve stormachtig. Het is een 'grijze' krant, gevuld met saaie Kamerverslagen en belerende teksten, bijvoorbeeld over de zedelijke aspecten van kiesrecht. Er is ook een feuilleton, een boeken- en een natuurrubriek. Het aantal abonnees stijgt van 5000 in 1900 naar 25.000 in 1915. Ook de drukkerij groeit mee, verhuist van de Geldersche Kade naar de Keizersgracht 378 en heet voortaan: N.V. Electrische Drukkerij Vooruitgang. In 1915 wordt tevens de stap gemaakt naar een echte uitgeverij, de latere Arbeiderspers.

Muziekvereniging Het Zuiden te Amsterdam is een Afdeeling van den Nederlandschen Bond van Arbeidersmuziekvereenigingen. De Bond wil, bij monde van zijn voorzitter: "door ons lied een hart onder de riem steken van de kleine groep strijders van de moderne arbeidersbeweging en ontspanning brengen en wijding geven aan haar bijeenkomsten. De behoefte aan schoonheid leeft in ieder menschenhart en een van de voornaamste uitingen daarvan is de beoefening van de muziekkunst." In deze tijd zijn er heel wat socialistische arbeidersmuziekverenigingen, vaak met strijdlustiger namen dan Het Zuiden, zoals Opwaarts in het Groningse Uithuizen, Voorwaarts uit Ter Apel, De Volharding te Barneveld of Ontwaakt te Hattem.

Aanvankelijk verschijnen de politieke prenten van Albert Hahn (1877-1918) in *Zondagsblad* van *Het Volk*, de krant die later verzelfstandigd als *De Notenkraker*. Zelfs nu nog staan bij velen Hahns spotprenten rond de spoorwegstaking van 1903 – de karikatuur van Abraham Kuyper en *Gansch het raderwerk staat stil* – op het netvlies gegrift. Hahns artistieke loopbaan start bij de Kunstacademie Minerva te Groningen, gevolgd door de Rijksschool voor Kunstnijverheid en de Rijksacademie te Amsterdam. In 1900 wordt hij lid van de SDAP. Voor de plaatselijke afdelingen heeft hij ook vaandels ontworpen. Daarnaast ontwierp hij boekomslagen en affiches, onder meer voor het toneelgezelschap van Herman Heijermans.

Een theateropvoering door de Nederlandsche Vereeniging tot Afschaffing van Alcoholhoudende Dranken, Afdeeling Amsterdam. De drankbestrijding dateert uit de tweede helft van de negentiende eeuw, wanneer vanwege kommervolle woon- en werkomstandigheden het drankgebruik onder arbeiders sterk toeneemt. In grote delen van de arbeidersbeweging is drankgebruik daarom taboe. De drankbestrijders zijn sterk verzuild, met socialistische, protestants-christelijke, rooms-katholieke en algemene organisaties. De Nederlandsche Vereeniging tot Afschaffing van Alcoholhoudende Dranken, opgericht in 1842, wordt kortweg 'de NV' of 'de blauwe NV' genoemd naar de blauwe knoop die het symbool van de geheelonthouders is. Ook de socialistische georiënteerde Algemeene Nederlandsche Geheel-Onthouders Bond heeft als symbool een blauwe knoop. Willem Drees is een bekende geheelonthouder.

Kunstenaar Jan Toorop (1858-1928), hier werkzaam in zijn atelier, is in Nederlands-Indië geboren. Toorop gaat na de HBS en de Polytechnische-School te Delft naar de Rijksacademie van Beeldende Kunsten te Amsterdam. Daar schildert hij in de eerste jaren in de trant van de Haagse School. Vanwege zijn contacten met Belgische kunstenaars en tijdens een reis naar Engeland leert hij de armoede en slechte sociale omstandigheden van Brussel en Londen kennen. Hij maakt er arrestaties van stakende arbeiders mee. Onder indruk van de socialistische en artistieke idealen van William Morris maakt hij onder meer de neo-impressionistische schilderijen *Vóór de Werkstaking* en *Na de Werkstaking* (1887). Zijn tegeltableaus in de Amsterdamse Beurs attenderen de daar vergaderende kapitalisten op de emancipatie van de arbeidersklasse en de vrouw.

De Communistische Partij Holland heeft een eigen jeugdbeweging: De Zaaier. De Zaaier verspreidt anti-militaristische propaganda, organiseert stakingen en is actief onder werklozen. Aan zelfvertrouwen ontbreekt het de leden niet: "Wij zijn geen klein scheurtroepje. Wij zijn de opbouwers van het nieuwe socialisme op de puinhopen der Internationale." Andersdenkenden worden als onnozelen afgeschilderd in het partijblad *De Jonge Communist*. De scholing – hier verzorgd door Henriette Roland Holst – wordt zeer serieus genomen. De CJB is lid van de Communistische Jeugd Internationale en ontvangt richtlijnen vanuit Moskou. Rond deze tijd verwelkomt De Zaaier een nieuw lid: Marinus van der Lubbe. Hij steekt in 1933 het Duitse parlementsgebouw De Rijksdag in brand.

Redactie en administratie van *Het Volk* op de stoep van pand aan de Keizersgracht in Amsterdam. In die tijd verschijnt in Den Haag een *Volk*-uitgave onder de naam *Vooruit*. Daar werken de 'bijzonder moeilijk hanteerbare jongeman' Simon Carmiggelt, Willem Drees en Klaas Voskuil, deze laatsten ook bekend als het duo 'V&D'. Razend populair in deze tijd is ook de strip *Bulletje en Bonestaak*, geschreven door A.M. de Jong en getekend door George van Raemdonck. In de loop der jaren is het aantal abonnees sterk toegenomen. Vlak voor de Eerste Wereldoorlog zijn er 28.000 betalende lezers, in 1931 zijn het er 200.000. De toename is te danken aan het uitbrengen van verschillende regionale edities, zoals de Haagse *Vooruit* of de *Voorwaarts* in Rotterdam.

Het dagblad van de Communistische Partij Holland *De Tribune* bericht in de zomer van 1934 uitgebreid over de door verlaging van de werkloosheidsuitkeringen in Amsterdam ontstane opstand die de geschiedenis ingaat als het Jordaanoproer. Voor minister-president Colijn is dat aanleiding om de persen in beslag te laten nemen, zoals deze foto toont. Nog dezelfde dag verschijnt het blad weer, maar nu als gestencilde uitgave. *De Tribune* blijft onveranderd oproepen tot actie en strijd in de crisistijd. De naam van het blad wordt in 1937 gewijzigd in *Volksdagblad*, maar vele andere 'Tribunes' duiken nadien nog op als persorganen van trotskistische dan wel maoïstische groeperingen.

Het weekblad *Volk en Vaderland* is de spreekbuis van de door Anton Mussert geleide NSB. Naast het weekblad op krantenformaat *Volk en Vaderland* (ook wel *VoVa*) is er het nationaalsocialistische getinte *Het Nationale Dagblad*. *Volk en Vaderland* bestaat van 1933 tot 1945 en heeft in 1941 een oplage van 70.000 exemplaren. Het wordt vooral in de losse verkoop verspreid. Colporteurs van *Volk en Vaderland*, zoals de man op de foto, hebben het moeilijk op straat vanwege al de hoon die ze moeten ondergaan. Ze worden door de NSB dan ook getypeerd als helden die door weer en wind en onder andere moeilijke omstandigheden het blad aan de man brengen. Na de oorlog is de naam *Volk en Vaderland* verboden voor persorganen en dat verbod geldt nog steeds.

Het Internationaal Instituut voor Sociale Geschiedenis (IISG) in Amsterdam bewaart sinds zijn oprichting in 1935 het erfgoed van de arbeidersbeweging. Archieven, boeken en posters, foto's, prenten en ook vakbondsvaandels hebben hier een goed heenkomen gevonden. Veel collecties, waaronder het archief van de SDAP, zijn tijdens de bezetting door de Duitsers weggevoerd en door heel Oost-Europa verspreid geraakt. Andere zijn al vóór de oorlog in Engeland in veiligheid gebracht. In

1946 begint een grootscheepse zoek- en hersteloperatie. Stukje bij beetje keert het materiaal terug, soms vervoerd in Rijnaken. In de chaos die dit oplevert probeert medewerker Werner Blumenberg (foto) orde te scheppen.

Het gemengde Amsterdamse Zangkoor Stem des Volks krijgt grote bekendheid met het zingen van socialistische strijdliederen. De eerste opvoering van dit door diamantsnijder Adolf Samson de Levita opgerichte koor is in 1898 in zaal Plancius, tegenover Artis, met de première van de Socialistenmars. Ook steden als Hilversum en Utrecht kennen een koor met die naam, Rotterdam zelfs twee: Stem des Volks Linker Maasoever en Stem des Volks Rechter Maasoever. De Stem des Volks treedt herhaalde malen op voor de VARA-radio en verschijnt trouw op partij-bijeenkomsten en meivieringen. De Jonge Stem en De Kleine Stem zijn kinderkoren die deel uitmaken van De Stem des Volks. Maar toch vergrijst het koor en in 2002 wordt het wegens gebrek aan belangstelling opgeheven.

Een jongedame tijdens het eerste Waarheid-zomerfeest in Birkhoven, Amersfoort. Vlak na de oorlog beleeft de CPN zijn *finest hour* en duizenden mensen komen naar de festivals van *De Waarheid*. In 1946 heeft de partijkrant 300.000 abonnees en wordt ook door niet-communisten gelezen. In deze jaren organiseert de partij jaarlijks een zomerfeest, waar ontspanning en politiek met elkaar vermengd worden. Voor de muzikale omlijsting zorgen onder meer het koor Morgenrood en pianist Lion Vleeschdrager onder zijn artiestennaam Louis Contran. Het liedrepertoire komt niet alleen uit de uit de Sovjet-Unie, maar ook uit de Franse revolutionaire traditie of uit de Spaanse burgeroorlog, alles in het Nederlands vertaald door schrijver Theun de Vries. Van deze bijeenkomst is de film *Werkend Nederland treedt aan* gemaakt.

In de jaren '50 is *Het Vrije Volk* een tijd lang Nederlands grootste krant met 325.000 abonnees. Om mensen voor het socialistisch gedachtegoed te werven, worden grootscheepse acties opgezet, zoals tijdens deze verkiezingscampagne een rijdende bioscoop. Tijdens deze bloeiperiode werken meer dan driehonderd redacteuren en verslaggevers bij het blad. Het leger bezorgers groeit uit tot 'het grootste verkoop-apparaat van Europa': gecoördineerd door achthonderd agenten bezorgen 3400 personen dagelijks de krant, wekelijks de *VARA-gids* en verkopen ze vele boeken. Onder de eerste naoorlogse hoofdredacteur Klaas Voskuil wordt het blad het officiële orgaan van de PvdA. Voskuil concentreert zich op de politieke lijn, dat wil zeggen het beleid van Drees, dat hij met grote hardnekkigheid verdedigt.

De VARA, Vereeniging Arbeiders Radio Amateurs, is opgericht in de jaren '20 als het nieuwe medium radio een grote vlucht neemt. De VARA profileert zich als omroep van de zich emanciperende arbeidersbeweging, van het vrije woord en de geestelijke en zedelijke verheffing van de arbeidende bevolking die nuttig en aangenaam beziggehouden moet worden. Dat gebeurt in het nuttige met uitzendingen van redevoeringen, lezingen, debatavonden, concerten, en in het aangename met jeugdprogramma's als *De Krakepit* (foto). Zoals Annie M.G. Schmidt, auteur van het populaire VARA-hoorspel over de 'familie Doorsnee', zei: "Lachen mag van God." Van 1925 tot 1980 is de omroep nauw gelieerd aan SDAP, PvdA en NVV/FNV.

Het Vrije Volk wordt gretig gelezen tijdens dit congres van de PvdA. De hoofdredacteur – Klaas Voskuil – wordt door dit congres benoemd. Igor Cornelissen, die zijn journalistieke loopbaan in deze tijd bij Het Vrije Volk is begonnen, herinnert zich: "Voskuil ontving ons met een gepijnigde blik, pijp in de mond, ons bemoedigend toesprekend, waarbij hij wel in kranten en aantekeningen bleef bladeren. Die aantekeningen waren bestemd voor een van zijn gortdroge hoofdartikelen. Misschien waren het ook wel notities van een gesprekje met Drees. Want Voskuil en Drees waren, had ik op de redactie al wel gehoord, twee handen op één buik en ze hadden intensief telefonisch contact."

De 'bibliomobiel' van de Arbeiderspers tijdens een PvdA-congres te Rotterdam. Evenals *Het Vrije Volk* maakt de Arbeiderspers enorme opgang. Het boekenbedrijf beschikt over een keten van zestien winkels, verspreid over het gehele land. In de bovenzaal van het gebouw aan het Hekelveld worden literaire middagen georganiseerd. Anton van Duinkerken bijt in 1946 het spits af. Tot 1953 volgen vele andere auteurs als Simon Carmiggelt, Henriette Roland Holst, Anna Blaman, Alfred Kossmann, Hella Haasse, Max Dendermonde en Louis Paul Boon. Annie M.G. Schmidt debuteert bij deze uitgeverij in 1950, Eli Asser in 1952. Daarnaast zijn er vele uitgaven op het gebied van de politieke en maatschappelijke voorlichting van onder meer Fruin, Drees, Van der Goes van Naters, Lieftinck, Schermerhorn, Vorrink en Wibaut.

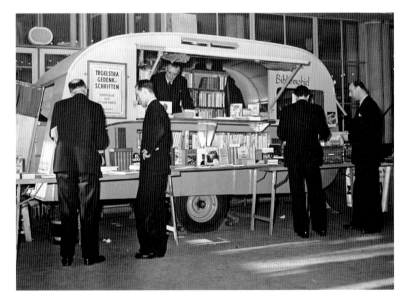

Nieuwe Koers, de landelijke Democratisch Socialistische Jongeren Vereniging, organiseert jaarlijks landdagen: samenkomsten bij de Paasheuvel in Vierhouten met spreekbeurten van sociaaldemocratische coryfeeën als Banning, Schermerhorn en Joekes. Deze laatste geeft een eigen interpretatie aan de DSJV: Durf, Strijdlust en Jeugdig Vuur. De DSJV kent vele afdelingen in den lande, zoals hier de afdeling Zaandam, tijdens een cabaretuitvoering. In het kader van de 'Doorbraakgedachte' zijn jeugdleden met een religieuze achtergrond goed vertegenwoordigd. Uit Nieuwe Koers komen bekende Nederlanders voort als Jan Pronk en Herman Wigbold, de latere hoofdredacteur van *Het Vrije Volk*.

In 1950 richt de CPN het gezinsweekblad *Uilenspiegel* op, compleet met moderubriek, schaakrubriek, recepten en knippatronen. De moppen op de achterpagina zijn overgenomen uit *De Lach*. Er is ook een jeugdrubriek met een eigen redactie: 'Wij zijn jong en dat is fijn'. In 1953 wordt vanuit die redactie de Uilenspiegelclub opgericht voor de communistische jeugd van acht tot veertien jaar. De leden gaan onder zelf gekozen pseudoniemen door het leven en zo verenigt de club 'Stalina', 'Romy Schneider', 'Kwakkie' en 'Nozem' onder één dak. Zij kamperen en knutselen en krijgen ook wat politieke scholing. Begin 1964 dwingt de CPN zowel de club als het blad *Uilenspiegel* zich op te heffen wegens politieke onenigheid met de leiding.

Evenals met *Het Vrije Volk* en de Arbeiderspers vergaat het ook de *VARA-gids*, voorheen *De Radiogids*, goed in de jaren vijftig. De oplage is dan een half miljoen. Een exemplaar daarvan gaat hier over de toonbank naar schrijver Simon Carmiggelt. Carmiggelt, die zijn loopbaan in de letteren ooit begonnen bij is bij de Haagse editie van *Het Volk*, beleeft in de jaren '50 zijn hoogtijdagen als schrijver van de rubriek 'Kronkel' in *Het Parool*. De exploitatie van de *VARA-gids* is nauw vervlochten met die van het *Vrije Volk*: beide rollen van de persen bij De Arbeiderspers. Het ledenaantal van de VARA groeit spectaculair: van ruim 100.000 in 1947, naar 246.000 in 1950, tot 534.000 in 1960. De VARA komt daarmee dat jaar op een tweede plaats na de KRO met ruim 600.000 leden.

Tot het vermaak voor de rode achterban behoort een door Wim Ibo geproduceerd muzikaal hoorspel, getiteld *In Holland staat een huis*. In de periode 1952-1958 tweemaal per maand uitgezonden, ontpopt het zich tot één van de populairste radioprogramma's van die tijd. De teksten zijn van de hand van Annie M.G. Schmidt en de muziek van Cor Lemaire. Hoofdrolspelers zijn leden van de 'familie Doorsnee', hier op het podium, gevormd door een mopperende vader (Cees Laseur), een sussende moeder (Sophie Stein) en enkele rebelse kinderen (Kees Brusse en Lia Dorana). Andere vaste personen zijn werkster Sjaan (Hetty Blok) en haar echtgenoot, politieman Willem (Jo Vischer jr.). De serie levert bekende liedjes op als: 'Ik ben Alie Cyaankalie', 'Met Willem naar de Fillem' en 'Als moeder jarig is'.

Jan Romein (1893-1962) en Annie Romein-Verschoor (1895-1978) zijn bekend geworden met hun boeken over de vaderlandse geschiedenis. In hun bekende cultuurhistorische overzichtswerk *De lage landen bij de zee* (1934) proberen ze op ondogmatische wijze uit te gaan van het historisch-materialistische beginsel dat het maatschappelijk zijn het bewustzijn van de mensen bepaalt. Datzelfde geldt voor *Erflaters van onze beschaving*, een serie biografische schetsen, verschenen in de jaren 1938-1940. De Romeins zijn in de jaren '20 en '30 het communisme toegedaan. Vóór de oorlog maken ze deel uit van het Comité van Waakzaamheid van Intellectuelen tegen het Fascisme. Het echtpaar Romein, door velen beschouwd als *fellowtravellers* van de Sovjet-Unie, pleit tijdens de Koude Oorlog voor een 'Derde Weg' tussen NAVO en Warchaupact.

De invloed van de televisie groeit binnen korte tijd enorm. Hoeveel, blijkt door het satirische VARA-programma *Zo is het toevallig ook nog eens een keer*, naar BBC-voorbeeld, met bekende medewerkers als Mies Bouwman, Gerard van het Reve, Dimitri Frenkel Frank, Yoka Beretty, Joop van Tijn, Jan Blokker en Rinus Ferdinandusse. Op zaterdag 4 januari 1964 ziet televisiekijkend Nederland hoe deze nieuwe nationale verslaving in de derde uitzending op de hak wordt genomen. In de geruchtmakende sketch 'Beeldreligie' spreekt acteur Peter Lohr een soort van gebed uit tot Het Beeld, waarmee de televisie wordt bedoeld. De scène leidt tot een storm van publieke ver-ontwaardiging in confessionele kring, duizenden boze brieven en Kamervragen. Deze eerste nationale televisierel komt de VARA op een berisping door KVP-minister Bot van Onderwijs te staan.

Deze tekening met 'De Uyl' is een bedenksel van Rinus Ferdinandusse (op de foto) en Peter Vos. Vos is als illustrator van het Amsterdamse studentenblad *Propria Cures* in contact gekomen met Rinus Ferdinandusse en Joop van Tijn en gaat in hun voetsporen in 1958 tekenen voor *Vrij Nederland*. De tekening zinspeelt op de verkiezingen van 1967. Daarbij wint de Anti-Revolutionaire Partij dankzij populariteit van premier Jelle Zijlstra. De PvdA lijdt een flink verlies van zes zetels. De toespelingen op olie en Shell hebben te maken met de heftige discussies over de voorwaarden voor het boren naar olie en aardgas op het continentaal plat en onder het IJsselmeer, die het kabinet-Zijlstra op 27 januari bekend maakt en die in mei in een wet worden vervat.

De vernieuwingsdrang van de jaren '60 komt ook tot uitbarsting in de toneel-wereld. Tijdens de voorstelling worden gevestigde toneelspelers door een nieuwe, vaak linkse, generatie acteurs met tomaten bekogeld. De jongere garde ergert zich aan het versleten repertoire van gesubsidieerde gezelschappen. Het begint met twee studenten die tijdens een opvoering van *De Storm* van Shakespeare met tomaten gooien. Andere voorstellingen worden eveneens verstoord. Er volgt een openbare discussie tussen voor- en tegenstanders van toneelvernieuwing in de Stadsschouwburg. De bijeenkomst trekt meer geïnteresseerden dan de premières van de Kleine Comedie. Tijdens de discussie worden de critici vertegenwoordigd door Josine van Dalsum (hier links) en de gevestigde orde door Guus Oster. Pas na geruime tijd volgt vernieuwing.

   NATIONAAL ARCHIEF | ANEFO | FOTO J. EVERS

Joop den Uyl discussieert met de revolutionaire marxisten Ernest Mandel en Joost Kircz over de merites van het marxisme. Het forum is georganiseerd door *Revolte*, 'opruiend blad voor jonge arbeiders, soldaten, scholieren, studenten en werkschuwen'. Trotskisten zijn in de jaren '70 relatief goed vertegenwoordigd in de studentenwereld, maar het zijn er toch nooit meer dan enkele tientallen. De Belgische econoom en hoogleraar Ernest Mandel is hun leidsman. Mandels missie is het klassieke gedachtegoed van Marx over te dragen aan een jongere generatie. Daartoe schrijft hij dertig boeken en tweeduizend artikelen, veelal in verschillende talen vertaald. Joost Kircz is natuurkundige en uitgever.

De Bond voor Arbeiders-Esperantisten is in 1911 opgericht en heeft in 1971 nog enkele honderden leden. Die zijn blij verrast met de aandacht voor hun streven in de vorm van het televisieprogramma *Teleac-televisiecursus Esperanto voor beginners*, met medewerking van Kees van Kooten en Wim de Bie. De door Lejzer Zamenhof ontworpen kunsttaal, die hij in 1887 onder de naam Dr. Esperanto (wat 'hij die hoopt' betekent) in een eerste taalboekje publiceert, ontwikkelt zich van alle kunsttalen tot de meest succesvolle. Het is een speciaal ontworpen taal om mensen uit verschillende culturen op voet van gelijkheid met elkaar te laten communiceren. Dit idee slaat zeer aan bij sociaaldemocraten, die tijdens grote internationale jeugdkampen en congressen met gelijkgestemden willen communiceren.

Uitgeverij Van Gennep in Amsterdam is vanaf het midden van de jaren '60 een begrip. Rob van Gennep, in de woorden van de journalist Igor Cornelissen "een vrolijke, altijd bezige man, die door zijn niet-aflatende enthousiasme een soort alternatieve burgemeester van Amsterdam leek. Hij had of kreeg goed zicht op de publicity en wist uitstekend de radio, de kranten en de televisie te bespelen. Zijn sterke kant was het politieke boek en dat brak hem later lelijk op toen de belangstelling daarvoor goeddeels verdween." Van Gennep gaf de reeksen *Kritiese Bibliotheek* en *De Nederlandse Arbeidersbeweging* uit. Op de foto staat het personeel van uitgeverij en boekwinkel, die in de jaren '80 ter ziele is gegaan. De uitgeverij legt zich daarna toe op bellettrie.

Een portret van Multatuli, pseudoniem voor Eduard Douwes Dekker (1820-1887) op de zijgevel van een woning in de Rotterdamse Mauritsstraat. Dekker vertrekt op achttienjarige leeftijd naar Indië, waar hij ambtenaar wordt, aanvankelijk aan Sumatra's westkust, later in diverse plaatsen elders in het eilandenrijk. Hij ontpopt zich tot één der grootste Nederlandse schrijvers met een in vele talen vertaald groot en veelomvattend oeuvre, waarvan *Max Havelaar* het bekendst is. Hij is een van de

eerste Nederlandse verdedigers van het atheïsme, vraagt aandacht voor de noden van de arbeider, de achteruitstelling van de vrouw, de hypocriete huwelijksmoraal en de gebreken in politiek, onderwijs en opvoeding. Alle zijn het thema's die later in het socialisme een belangrijke rol spelen en die in de jaren '70 weer opgeld doen.

Als vanaf 1969 ledenaantallen de hoeveelheid omroepzendtijd bepalen, ondergaat de VARA belangrijke veranderingen. De VARA richt zich voortaan op een breder, progressief georiënteerd publiek en verandert van 'stem van links' in een principieel onafhankelijke, zij het nog ideëel aan de sociaaldemocratie verwante omroep. Aan het einde van de jaren '70 worden de traditioneel hechte banden met de PvdA en de FNV steeds losser. Hierdoor halveert het aantal VARA-leden met een PvdA-voorkeur en het aandeel lezers van de *VARA-gids* in een periode van 25 jaar. Ze lopen vooral over naar de AVRO, TROS, Veronica en VPRO. In 1983 presenteren Sonja Barend, Henk Spaan en Letty Kosterman (links) het nieuwe VARA-logo. De rode haan is daarin een opvallende afwezige.

Tijdens de Koude Oorlog daalt de oplage van *De Waarheid* dramatisch. In de jaren '70 gaat het iets beter, vanwege de kritiek op de Verenigde Staten tijdens de Vietnam-oorlog. Eind jaren '70 verdampt dat opgebouwde krediet door strubbelingen binnen de CPN. Om daaraan te ontsnappen kiest *De Waarheid* een nieuwe vorm: vanaf 1986 verschijnt het blad, als eerste Nederlands dagblad, op tabloidformaat. Inhoudelijk streeft men aar een krant voor heel links Nederland, maar het communistische verleden blijk een té zware belasting. Na de opheffing van de CPN in 1989 verschijnt het laatste nummer op 28 april 1990 voor krap zesduizend abonnees. Bij de ontmanteling van het CPN-gebouw en de verwijdering van de letters van *De Waarheid* gaat de vlag halfstok.

De SP, sinds 1994 vertegenwoordigd als oppositiepartij in de Tweede Kamer, heeft een zeer gevarieerd ledenbestand: van socialisten, feministen, en 'anders-globalisten' tot vakbondsactivisten, voormalige maoïsten en krakers. Bob Fosko, bekend van de muzikale acts De Raggende Manne en Hakkûbar, is op allerlei partij-bijeenkomsten het muzikale gezicht van de partij. Hier staat hij op het podium tijdens een verkiezingsbijeenkomst in het SP-bolwerk Oss in 2006. In 2002 maakt hij voor de SP verkiezingscampagne het lied 'Een Mens is Meer' en ter gelegenheid van het referendum over de Europese Grondwet componeert hij drie 'muzikale aanbevelingen om NEE te zeggen', in een rock-, pop- en danceversie.

Een uitstekend middel om snel een standpunt te verwoorden voor eigen achterban en breed publiek is tegenwoordig de website. Hier interviewt Jan Marijnissen voor dit doel een demonstrant tegen de herkeuringen voor de WAO. De SP heeft
sinds 1996 een eigen website, die meermalen verkozen is tot de beste van de Nederlandse politieke partijen. In 2007 ontstaat discussie rond de weblogs van SP-politici
vanwege de wijze waarop de daarop geplaatste reacties worden geselecteerd.
Sommigen beschouwen die ingrepen als censuur. De discussie spitst zich toe op het
Eerste Kamerlid Düzgün Yildirim, wiens weblog naar eigen zeggen door de partij uit
de lucht is gehaald, nadat hij weigerde zijn zetel op te geven.

Ontwapenend. Acties voor vrede

CAREL BRENDEL

De afkeer van militarisme en oorlog onder socialisten bereikt een hoogtepunt tijdens de Eerste Wereldoorlog, terwijl Nederland een neutrale positie in het conflict bezet. Ook het dienstweigeren komt nu op. Zowel gewetensbezwaarden als de revolutio-

naire dienstweigeraars komen in de gevangenis en de vredesbeweging voert felle actie voor hun vrijlating. De SDAP verheft in de jaren '20 nationale ontwapening tot een ideaal en ageert tegen de regeringsplannen om de krijgsmacht te versterken. In 1937 laat de partij die eis vallen en aanvaardt het de nationale verdediging. Enkele honderden communisten nemen in dezelfde periode deel aan de Spaanse burgeroorlog. In 1947 is de CPN een verklaard tegenstander van de 'politionele acties' in Indonesië, terwijl de PvdA akkoord gaat. Afvalligen uit de kringen van PvdA en CPN richten in 1957 de Pacifistisch-Socialistische Partij op. De PSP laat zich vooral zien in Vietnam-demonstraties en bij de massale acties tegen kruisraketten en de neutronenbom in de jaren '80. In 1991 gaat de partij op in GroenLinks.

De oorlogsdreiging in Europa neemt na 1910 sterk toe. Op de Balkan dreigen lokale oorlogen uit te groeien tot grote internationale conflicten. Duitsland en bondgenoot Oostenrijk-Hongarije leven op gespannen voet met Frankrijk, Groot-Brittannië en Rusland. De internationale socialistische beweging hoopt een wereld-brand te voorkomen door middel van demonstraties en stakingen. Nederlandse vrouwen roeren zich massaal in deze vredesbeweging. De snel groeiende Bond van Sociaal-Democratische Vrouwenclubs neemt hierbij het voortouw. De bond heeft 12.000 leden en 28.000 abonnees op het blad *De Proletarische Vrouw*. Een grote door de Bond georganiseerde vredesoptocht door de hoofdstad trekt ook veel mannelijke sympathisanten.

De SDAP organiseert grote manifestaties tegen de dreigende oorlogsramp, zoals hier op het IJsclubterrein in Amsterdam. Bij de SDAP-aanhang leven tot het laatste moment illusies over een algemene internationale werkstaking, waarmee de arbeiders de Grote Oorlog zouden kunnen verhinderen. De SDAP stemt tot dusver consequent tegen militaire uitgaven. Groot is de verbijstering bij sommigen als SDAP-leider Pieter Jelles Troelstra en zijn fractie alsnog instemmen met kredieten voor de mobilisatie van het Nederlandse leger. Het is dan al duidelijk dat ook de grote broederpartij in Duitsland, de SPD, de keizerlijke oorlogsbegroting zal goedkeuren. Troelstra in de Tweede Kamer: "Ik acht het ogenblik van kritiek niet gekomen omdat in deze ernstige omstandigheden de nationale gedachte de nationale geschillen overheerst."

Troelstra weet het verzet tegen zijn nieuwe koers in de kiem te smoren. Tegenstanders van de net buiten de landsgrenzen woedende oorlog zoeken daarom hun heil bij linkse organisaties, bijvoorbeeld bij de Internationale Anti-Militaristische Vereniging (IAMV), die in 1904 is opgericht door Ferdinand Domela Nieuwenhuis. De Federatieve Bond tegen het Militarisme organiseert grote demonstraties, waarbij ook de oude Domela de menigte toespreekt. Later in het jaar is hij een van de ondertekenaars van het *Dienstweigeraarsmanifest*, een initiatief van christen-anarchisten als Bart de Ligt. Dit manifest wordt door de overheid als opruiend beschouwd. Toch zal het in de jaren daarna een grote rol spelen in de strijd om de erkenning van gewetensbezwaren tegen de militaire dienstplicht.

Voor haar onder de wapenen geroepen jonge leden richt de SDAP in bijna alle garnizoensplaatsen mobilisatieclubs op. De legerleiding ziet de socialistische activiteiten met argusogen aan, maar gedoogt de verenigingen zolang partijleider Troelstra de mobilisatie ondersteunt. Op de bijeenkomsten gaat het soms over politiek, maar vaker is ontspanning het doel. De soldaten voeren toneelstukken op van Herman Heijermans of luisteren naar toespraken van SDAP-voorvrouw Suze Groeneweg. Sociaaldemocratische militairen en leden van de vakbond van spoor- en tramwegpersoneel poseren hier in Tilburg met vrouwen en kinderen na een gezamenlijke bijeenkomst. De 'rode soldaten', vaak afkomstig uit Friesland of de grote steden, helpen op hun manier mee om het socialisme vaste voet te geven in het katholieke Noord-Brabant.

De massaslachtingen in de loopgraven van de Eerste Wereldoorlog geven na 1918 een enorme impuls aan het pacifisme en antimilitarisme, ook in het neutraal gebleven Nederland. De linkse beweging loopt in 1923 te hoop tegen de Vlootwet van minister van Financiën Colijn, die 300 miljoen gulden in zes jaar wil steken in de uitbreiding van de Nederlandse vloot in Oost-Indië. SDAP en NVV organiseren een door 65.000 mensen bezochte betoging. Oorlogsweduwen lopen achter het spandoek 'de ellende van den oorlog', met achter hen een allegorische voorstelling van de mensenverslindende oorlogsgod Mars. Een volkspetitionnement krijgt 1.132.228 handtekeningen. Met de steun van tien katholieke dissidenten wordt de Vlootwet door de Tweede Kamer uiteindelijk verworpen met 49 tegen vijftig stemmen.

De uitbreiding van de vloot blijft op de agenda staan van de rechtse kabinetten, die Nederland besturen tussen de twee wereldoorlogen. In 1930 dient het derde kabinet-Ruijs/Den Beerenbrouck wederom nieuwe vlootplannen in. De SDAP en andere tegenstanders van bewapening komen opnieuw massaal op de been tegen deze 'verspilling van belastinggelden' midden in een economische crisis. Opnieuw hebben vrouwen – zoals de dragers van het reuzenbord 'Moeders waakt' – een groot aandeel in de betogingen. Het politieke tij is echter gekeerd. Dit keer krijgen de vlootplannen wel een Kamermeerderheid. Met de opkomst van Adolf Hitler na 1933 neemt het antimilitarisme in de SDAP in snel tempo af, al blijven overtuigde pacifisten het 'gebroken geweertje' in hun knoopsgat dragen.

ndonesische schepelingen maken zich in februari 1933 voor de kust van Atjeh meester van het pantserdekschip De Zeven Provinciën. Uit protest tegen een salariskorting stomen ze op naar Soerabaja. De autoriteiten maken een einde aan de muiterij door een bom op het schip te gooien. Bij deze aanval zonder waarschuwing vooraf vallen 23 doden en veertien gewonden. In Nederland protesteren linkse partijen tegen het keiharde ingrijpen. Anarchist Henk Eikeboom roept hier op tot deelname aan 'een grote protestvergadering tegen de bloedige Nederlandse regering'. Dichterschrijver Eikeboom is in 1921 medeoprichter van de Rapaille-partij, met de straatfiguur Cornelis de Gelder (alias 'Hadjememaar') als lijsttrekker bij de Amsterdamse raadsverkiezingen. Als politiek verdacht persoon pakken de Duitsers Eikeboom op in 1941. In mei 1945 overlijdt hij in het concentratiekamp Sachsenhausen.

Met het uitbreken van de Spaanse burgeroorlog in 1936 verruilen nogal wat linkse activisten het gebroken geweertje voor een echt geweer. De poging van de Spaanse generaal Franco om de wettige republikeinse regering omver te werpen groeit uit tot een internationaal conflict, waarbij Hitler en Mussolini de rebellen steunen en de Spaanse republiek zwaar komt te leunen op de hulp van Stalin. Ook Nederlandse vrijwilligers sluiten zich aan bij de door de communisten overheerste Internationale Brigades, die 32.000 vrijwilligers uit vijftig landen omvat. Deze Spanjestrijders verliezen daardoor hun nationaliteit. Een aantal van hen wordt tijdens de Duitse bezetting naar concentratiekampen gestuurd. De linkse solidariteit met het revolutionaire Spanje uit zich ook (foto) in acties voor hongerende kinderen.

De in 1935 opgerichte Revolutionair-Socialistische Arbeiderspartij van Henk Sneevliet (de man in het midden) beleeft een opleving na 1935. Sneevliet richt in 1938 een Internationaal Arbeidersfront op tegen de dreigende oorlog tussen fascistische en kapitalistische staten. Ook de gemeenteraadsverkiezingen staan in het teken van de oorlogsdreiging. Sneevliet, een verklaarde vijand van Moskou en inmiddels ook van Trotski, komt in de Amsterdamse gemeenteraad. Met zijn medestanders bereidt hij zich al voor op de illegaliteit. Het Marx-Lenin-Luxemburg Front predikt de klassenstrijd tegen de Duitse bezetters en hun Nederlandse handlangers. De Duitsers jagen verwoed op Sneevliet en rollen een flink deel van zijn verzetsgroep op. Met zes kameraden sterft hij onder het zingen van 'de Internationale' op 12 april 1942 voor een vuurpeloton in Kamp Amersfoort.

Aan het begin van 1941 beleeft de hoofdstad onrustige maanden. Al in het najaar van 1940 voeren arbeiders in de werkverschaffing actie tegen lange werktijden. In de strenge winter gaan huisvrouwen de straat op voor duurtetoeslagen. Op de scheepswerven breken korte stakingen uit tegen het uitzenden van arbeiders naar Duitsland. In de binnenstad veroorzaken NSB'ers straatrellen door agressief optreden tegen joden. Als een NSB'er omkomt bij dit geweld, besluiten de Duitsers de 'Jodenhoek' af te zetten, zoals hier op de Blauwbrug over de Amstel. Werklieden van het energiebedrijf legitimeren zich bij de Duitse troepen. Deze gemeentewerkers zijn later getuige van een gewelddadige razzia. De plaatselijke CPN roept vervolgens een proteststaking uit, waarbij het gemeentepersoneel (trambestuurders, straatmakers) een beslissende rol speelt.

De Amsterdamse scheepsbouwarbeider Ratio Koster krijgt een feestelijk onthaal na zijn vrijlating uit militaire detentie. Koster heeft zich op achttienjarige leeftijd aangemeld bij het Algemeen Nederlands Jeugdverbond (ANJV), de jongerenorganisatie van de CPN. Als dienstplichtig militair protesteert hij tegen het Nederlandse optreden in Indië. In 1947 wordt hij opgepakt wegens de verspreiding van het ANJV-blad *Eén*, dat een 'opruiend' artikel bevat tegen Nederlandse wreedheden op Celebes. Na een voorarrest van negen maanden krijgt hij een celstraf van drie jaar. In hoger beroep wordt Koster echter vrijgesproken, zodat hij na anderhalf jaar weer vrij man is. Later zet de CPN-er zich opnieuw in voor acties tegen de Indonesische dictator Soeharto.

Op de kap van Amsterdam CS hebben tegenstanders van de zogeheten politionele acties de leus 'Geen oorlog, maar vrede' aangebracht. Sinds december 1948, toen de oorlog tussen Nederland en de Indonesische republiek opnieuw oplaaide, zijn er op dat moment 731 soldaten gesneuveld, alleen al veertig in de week voorafgaand aan 16 april. De communisten hebben extra reden om zich te manifesteren. Op 4 april 1949 is in Washington het NAVO-verdrag getekend, dat volgens de CPN de weg vrijmaakt voor de Duitse herbewapening. Het antwoord is een groot internationaal Congres voor de Vrede in Parijs. Daarvoor is uit Nederland massale belangstelling, aldus *De Waarheid*. De krant bericht dagelijks over de 'delegaties uit buurten en bedrijven' die zich opmaken voor de tocht naar Frankrijk.

De Organisatie van Progressieve Studerende Jeugd en het ANJV zijn 'mantel-
organisaties' van de CPN, zoals dat heet in het jargon van de Koude Oorlog.
Met name het ANJV ontwikkelt zich tot een kweekschool en hofleverancier van communistisch partijkader. Bekende CPN-leiders als Marcus Bakker, Henk Hoekstra en
Joop Wolff doen hun eerste organisatorische vaardigheden op als bestuurders van
het ANJV. De jongerenclub zorgt ook voor ontspanning en cultuur: bekende zange-
ressen als Lenny Kuhr en Karin Kent beginnen hun carrière op avondjes van het ANJV.
Het ANJV is uiteraard zeer actief in de strijd tegen de politionele acties in Nederlands-
Indië. 'Jeugd eist vrede', is de leus waarmee onder anderen Henk Hoekstra (voorop
lopend) de straat opgaat.

In Nederland wordt de Hongaarse volksopstand van oktober 1956 ademloos gevolgd. De hoop is groot als de dissidente communist Imre Nagy een regering vormt en de Russische tanks zich uit Boedapest terugtrekken. Als de Sovjet-Unie alsnog keihard ingrijpt, ontlaadt de volkswoede zich op de CPN. De Nederlandse communisten blijven solidair met de Russen en beschouwen de opstandelingen als fascisten. Een boze menigte trekt op naar de Keizersgracht en belegert daar het gebouw Felix Meritis, waar het CPN-hoofdkwartier en de drukkerij van *De Waarheid* zijn gevestigd. Drukkers en razendsnel opgetrommelde partijgenoten slaan de belegering af, terwijl de politie buiten zich nogal passief opstelt. Ook elders zijn er relletjes. *Parool*-journalist Simon Carmiggelt slaat een vitrine in met daarachter een exemplaar van *De Waarheid*.

Nadat de Hongaarse volksopstand bloedig is neergeslagen, is Anna Kéthly het sociaaldemocratische symbool van het verzet tegen de communistische dictatuur. Na de Tweede Wereldoorlog wil Kéthly niets weten van de opgelegde fusie tussen socialisten en communisten. Dat leidt tot haar arrestatie in 1950 en veroordeling in 1954 wegens 'spionage en activiteiten tegen de staat'. Tijdens de opstand van 1956 benoemt Imre Nagy haar tot minister. Als de Russische tanks Boedapest binnentrekken, zit Kéthly in Wenen. Ze doet een vergeefs beroep op de Verenigde Naties om haar land te hulp te komen. Daarna trekt ze de wereld over voor de Hongaarse zaak. Precies één jaar na de opstand is ze in Nederland, waar ze spreekt op een door de PvdA georganiseerde herdenking.

Voor zijn studie loopt de jonge politicoloog Ed van Thijn in 1959 en 1960 stage in Parijs. Hij doet voor zijn scripties onderzoek naar het ontstaan van de naoorlogse Vierde Republiek. Aan deze republiek is in 1958 een einde gemaakt door een staatsgreep van oorlogsheld generaal Charles de Gaulle. Frankrijk weet zich geen raad met Algerije, waar een bloedige opstand tegen het Franse gezag woedt. De onrust slaat over naar Parijs, waar in oktober 1961 een grote demonstratie van Algerijnen met grof geweld wordt neergeslagen door de politie. Er vallen tweehonderd dodelijke slachtoffers. Van Thijn (rechts) gaat met medestanders de straat op om aandacht te vragen voor het Algerijnse drama. Het is de tijd dat zulke mini-demonstraties nog met gemak de kranten halen.

De bittere pil van het verlies van Indonesië wordt in 1949 verguld met het behoud van het verre en onherbergzame Nieuw-Guinea. Nederland ontdekt opeens een roeping: het naar de twintigste eeuw begeleiden van de onwetende Papoea's. Indonesië blijft het gebied echter claimen. Vanaf 1960 dropt het militaire infiltranten aan de westkust. Nederland stuurt dienstplichtigen naar Nieuw-Guinea. De animo voor de laatste koloniale oorlog is echter gering. Als grootste oppositiepartij voert de PvdA een felle campagne tegen de uitzending van militairen. Het 'offer' van 'uw zonen' wordt een thema bij de Statenverkiezingen van 1962. Lang houdt Nederland de strijd niet vol. Onder zware Amerikaanse druk doet ons land afstand van de laatste kolonie in de Oost.

De Amerikanen zitten weldra tot over de oren in hun eigen koloniale conflict, de Vietnam-oorlog. In een jarenlange strijd proberen ze vergeefs te voorkomen dat Zuid-Vietnam wordt overgenomen door de communistische buurman Noord-Vietnam. Het protest daartegen in Nederland begint aarzelend. Het zijn met name de PSP en de Socialistische Jeugd, een militante jeugdorganisatie van PSP-jongeren en linkse studenten, die de eerste betogingen organiseren. De CPN is afwachtend, want zij heeft het niet zo op met de concurrerende PSP en evenmin met oud-Februarista-ker, ex-communist en goochelaar Piet Nak. Hij organiseert in 1967 twee grote Viet-nam-betogingen. Leuzen als 'Johnson oorlogsmisdadiger' en 'Johnson moordenaar' vallen slecht bij het gezag. Betogers worden aangehouden wegens belediging van een bevriend staatshoofd. Als alternatief bedenken de demonstranten de leus 'Johnson molenaar'.

De opkomende vredesbeweging krijgt een stevige aanhang binnen de kerken. De kerkelijke organisaties besluiten in 1969 tot de instelling van de jaarlijkse Internationale Vredesweek, die wordt georganiseerd door het in 1966 opgerichte protestantse Interkerkelijk Vredesberaad (IKV) in samenwerking met de katholieke tegenhanger Pax Christi. In de begintijd pleiten de kerkelijke vredesgroepen vooral voor ontwapening van Oost en West. Ze sturen delegaties naar Oost-Europa om de ontspanning te bevorderen, waarbij de kerkleiders het verwijt krijgen dat ze zich door hun communistische gastheren laten inpakken. Op het hoogtepunt van de Vredesweek, eind jaren '70, bereikt de *Vredeskrant* een oplage van honderdduizenden exemplaren. Uiteraard is de PSP in 1972 aanwezig om haar socialisme zonder atoombom uit te dragen.

Na 1968 krijgt het Vietnam-protest een breder karakter. De steun aan de acties onder de bevolking neemt sterk toe. Studentenactivisten als Ton Regtien lopen voorop bij grote betogingen tegen het Amerikaanse militaire optreden. In het kader van de polarisatie gaat ook de PvdA de Vietnam-beweging ondersteunen. Met Kerstmis 1972 laat de Amerikaanse president Richard Nixon zware bombardementen op Noord-Vietnamese steden uitvoeren. De verontwaardiging hierover leidt tot een van de grootste Vietnam-demonstraties. Alle politieke partijen, behalve de VVD, doen hieraan mee. De manifestatie wordt door bijna 100.000 mensen bezocht. PvdA-voorman Anne Vondeling is een van de sprekers in de Utrechtse Irenehal. Het duurt overigens niet lang meer of de Amerikanen trekken zich volledig terug uit Vietnam.

In de jaren '70 profileert de PvdA zichzelf als actiepartij die nauwe samenwerking zoekt met buitenparlementaire actiegroepen. In 1972 neemt het partijcongres een anti-NAVO-resolutie aan, die neerkomt op een uittreding op termijn uit het Atlantische militaire verbond. Onder druk van Den Uyl, die voor de formatie van zijn eerste kabinet vreest, wordt de tekst afgezwakt. De partij wil in navolging van de kerken de verwijdering van kernwapens uit ons land. In 1975 houdt de PvdA een speciaal congres over vrede en veiligheid. Den Uyl weet ook nu te bereiken dat het partijkader de hardste voorwaarden schrapt uit de resolutie. De premier wordt bijgestaan door minister van Defensie Henk Vredeling, die eerder opzien baarde met de relativerende uitspraak: "Congressen kopen geen straaljagers."

Een PvdA-delegatie onder leiding van voorzitter Ien van den Heuvel zorgt voor groot rumoer na een bezoek aan de Duitse Democratische Republiek. Hier houdt ze een persconferentie, samen met DDR-ambassadeur Wolff. Medereiziger en Nieuw Linkser Jan Nagel verklaart na terugkeer dat de bouw van de Muur een historisch juiste beslissing was. Van den Heuvel lijkt deze mening te delen. Bovendien ondertekenen de Nederlanders een document, dat bijna volledig de lijn van de Oost-Duitse communistische partij SED volgt. Partijleider Den Uyl is woedend over zo veel naïviteit en noemt de uitspraak: "feitelijk en politiek onverstandig." De DDR-gangers trekken hun lovende woorden in. Na de val van de Muur in 1989 worden Nagel en Van den Heuvel pijnlijk herinnerd aan hun sympathie voor de DDR.

   NATIONAAL ARCHIEF I ANEFO I FOTO HANS PETERS

De PSP-ers Bram van der Lek (links) en Fred van der Spek laten het pluche even voor wat het is uit sympathie voor de Oost-Timorezen. Op de agenda van de Tweede Kamer staat de bouw van drie korvetten voor het 'generaalsregime' in Indonesië. Het socialistische bevrijdingsfront Fretilin vecht tot 1974 tegen de Portugese overheersing van Oost-Timor. In 1975, direct na het vertrek van de Portugezen, bezet Indonesië de oostelijke helft van Timor. Tienduizenden burgers komen om het leven. Van der Spek interpelleert de ministers Pronk (Ontwikkelingssamenwerking), Van der Stoel (Buitenlandse Zaken) en Lubbers (Economische Zaken) over de levering van de oorlogsschepen, die worden gebouwd op de RSV-werf Wilton-Feijenoord. Het zal tot 1999 duren en veel bloedvergieten kosten voordat de Indonesiërs het landje eindelijk ontruimen.

Het prominente PSP-lid Sietse Bosgra, sympathisant van linkse verzetsbewegingen in Angola en Mozambique, is een van de drijvende krachten achter het Komitee Zuidelijk Afrika. Dit comité wordt opgericht in 1976 en sluit zich aan bij de olieboycot tegen het apartheidsbewind in Zuid-Afrika. Het Shell-concern wordt het voornaamste mikpunt van deze acties. Activisten houden blokkades of plegen sabotage bij benzinestations. De Tweede Kamer debatteert regelmatig over de kwestie. In 1980 valt de regering-Van Agt bijna over de kwestie, omdat ook enkele CDA-dissidenten onder Jan Nico Scholten een motie van de oppositie steunen. De Kamerleden (v.l.n.r.) Dolman en Ter Beek (PvdA) en Waltmans (PPR) vangen op het Binnenhof betogers op in het najaar van 1979.

   IISG | FOTO PAUL BABELIOWSKY

De kruisraketten zijn het grote politieke issue van de jaren '80. Eind 1979 besluit de NAVO tot plaatsing van 572 kruisraketten, waarvan 48 in Nederland, als antwoord op de Russische SS20-raketten. Het IKV onder leiding van de charismatische Mient Jan Faber speelt een hoofdrol in de acties voor eenzijdige ontwapening. De PvdA sluit zich aan bij het Komitee Kruisraketten Nee, maar wil tegelijkertijd voorkomen dat er niet meer kan worden geregeerd met het CDA. Het verkiezingscongres staat massaal achter de IKV-acties. Den Uyl wil echter alleen lijsttrekker worden als de achterban akkoord gaat met een gematigde opstelling. Met voorzitter Max van den Berg wordt een compromis bedacht, waarin Nederland twee atoomtaken houdt. Het congres gaat zuchtend akkoord. Den Uyl krijgt een nieuwe bijnaam: 'Joop Atoom'.

Het compromis kost de PvdA negen zetels bij de verkiezingen in mei 1981. Toch gaat Den Uyl regeren met Van Agt. De coalitie sneuvelt na negen maanden en zal de geschiedenis ingaan als 'het vechtkabinet'. Aan de vooravond van een mogelijk kabinetsbesluit organiseert de vredesbeweging in november 1981 een massademonstratie in Amsterdam. De organisatie rekent op 150.000 mensen, maar de opkomst is sensationeel: tussen de 400.000 en 450.000 betogers. Opvallend zijn de vele bussen uit heel Nederland, waar het IKV zijn aanhang mobiliseert. De Jonge Socialisten (foto) zijn ook aanwezig. In 1983 is er in Den Haag een tweede vredesdemonstratie met 550.000 deelnemers. Toch besluit het kabinet-Lubbers tot plaatsing. Uiteindelijk komen de kruisraketten er niet, want Sovjet-leider Gorbatsjov ziet af van de SS20-raketten.

Als onderdeel van de strijd tegen de kruisraketten organiseert de FNV een werkonderbreking van een kwartier. Omdat het aantal stakers nergens wordt geregistreerd, blijft het onduidelijk hoeveel mensen daadwerkelijk het werk hebben neergelegd tijdens deze politieke staking. De FNV zelf houdt het op 1,1 miljoen deelnemers, *de Volkskrant* schat de deelname op 400.000. Feit is wel dat het openbaar vervoer in Amsterdam en Rotterdam grotendeels stil ligt. Op veel plaatsen gaan de stakers naar buiten voor een korte manifestatie op het bedrijfsterrein. Hier staken werknemers van Electrorail, een dochterbedrijf van NS dat verantwoordelijk is voor de bovenleiding op het spoor.

et verzet concentreert zich op de luchtmachtbasis Woensdrecht, die is aange-wezen voor de plaatsing van kruisraketten. Op 3 september 1983 bouwen acti-visten een Vredesactiekamp (VAK), dat tot 1987 blijft staan. Het kabinet-Lubbers neemt op vrijdag 1 juni 1984 een voorwaardelijk besluit voor plaatsing. In hetzelfde weekeinde wordt Woensdrecht afgesloten door betogers, zoals hier bij de hoofd-poort, die met lege dozen is geblokkeerd. Op andere plaatsen gaat het grimmig toe. De ME botst met activisten, die met bierflesjes stenen en takken gooien. De blokka-de duurt van vrijdag 1 juni elf uur tot zondag 3 juni elf uur. "Wij komen terug", schrij-ven de vertrekkende betogers op een wachthuisje. Woensdrecht blijft in het nieuws, onder meer door een spectaculaire actie van priester Kees Koning die in 1989 straal-jagers met een bijl beschadigt.

IISG I FOTO PAUL VREEKER

Door ontwikkelingen in Nederland én Zuid-Afrika blijft de anti-apartheidsbeweging in de belangstelling staan. De terreurbeweging Rara eist enkele grote brandstichtingen op bij bedrijven die zaken doen met het land van de apartheid. Daar nemen de onlusten in de zwarte *townships* steeds heftiger vormen aan. In juli 1985 roept de Zuid-Afrikaanse regering de noodtoestand uit. Vrijwel direct zijn er demonstraties bij de ambassade in Den Haag. Tussen de demonstranten staan (v.l.n.r. aan de linkerkant) de jonge PvdA-er Hans Alders, oud-premier Den Uyl, de Amsterdamse CPN-wethouder Tineke van den Klinkenberg en IKV-secretaris Mient Jan Faber. Na 1990 komt er snel einde aan de apartheid. ANC-leider Nelson Mandela komt op vrije voeten. In 1994 beleeft Zuid-Afrika zijn eerste democratische verkiezingen met algemeen stemrecht.

N a de parlementaire goedkeuring voor het plaatsingsbesluit van het kabinet-Lubbers in 1985 staken de politieke partijen en kerken hun verzet tegen de kruisraketten. De val van de Muur en het uiteenvallen van de Sovjet-Unie maken een onverwacht einde aan de bewapeningswedloop tussen oost en west. Het duurt heel lang voor Nederland weer vredesdemonstraties van enige omvang meemaakt. In november 2001 is het zo ver als de Verenigde Staten en hun bondgenoten Afghanistan binnenvallen als reactie op de aanslagen van 11 september. Ze willen een eind maken aan het regime van de fundamentalistische Taliban en de schuilplaats van Al-Qaida-chef Bin Laden oprollen. In Amsterdam demonstreren duizenden mensen, maar ook in Rotterdam (foto) betogen honderden jongeren tegen 'de nieuwe oorlog'.

De menselijke maat. Affiches na 1945

In de eerste jaren na de Tweede Wereldoorlog kleuren de straten, dankzij de tijdelijke populariteit van de CPN, roder dan ooit tevoren. De socialisten streven naar opbouw, eenheid en welvaart. Langzaam verdwijnt de symboliek uit de affiches en door de toepassing van fotografie verschijnen de koppen van de politieke leiders. Door de

komst van de televisie staat de persoon van de politicus steeds sterker op de voorgrond. De lijsttrekker wordt letterlijk het gezicht van de partij. Nieuwkomers als de PSP en later GroenLinks en SP blijven aanvankelijk enigszins trouw aan symboliek, maar in de laatste campagnes gaat het eigenlijk alleen nog maar om de poppetjes.

Het affiche heeft ondertussen zijn beste tijd gehad. Weinig kiezers hebben nog zin om hun ramen te beplakken met de verkiezingsboodschap van hun favoriete politieke partij. De hangplekken voor de politieke affiches, de speciale plakborden die door de gemeente worden opgesteld, zien er vaak treurig uit. In deze misère maakt vooral de SP handig gebruik van de nieuwe media.

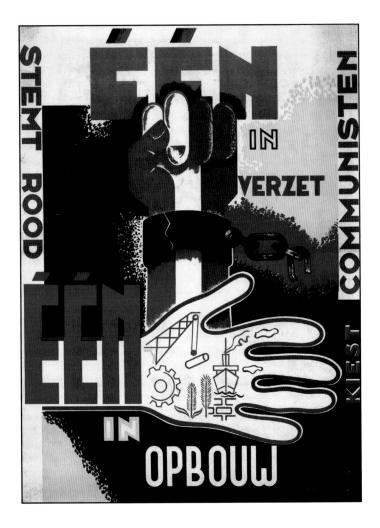

DREES uw vertrouwen waard LIJST 2

PARTIJ VAN DE ARBEID

271

"Gemeten naar de maatstaven van Neurenberg en Tokio zijn

Johnson

zijn naaste medewerkers en generaals

oorlogs
misdadiger"

Prof. dr. B. Delfgaauw
op 21 oktober 1967 in de
Oude RAI te Amsterdam

Uitgave van de Aktiegroep Vietnam, Heiloo, postgiro 1263483

Joseph Luns: Portugal heeft in zijn overzeese gebiedsdelen belangrijk beschavingswerk verricht.

PSP
ontwapenend

lijst 2

Kies den Uyl in een nieuwe regering

met een nieuwe PvdA
met een nieuw plan

Samen onverantwoordelijk

ONBEVOOROORDEELD
& ONTWAPENEND

Anneke Meijsen

24

VOOR DE
VERANDERING

sap

socialistiese arbeiderspartij

Sommigen beweren dat Nederland vol is.

GROENLINKS OF LATEN WE HET ZO?

EURO. VOELT U 'M?

287

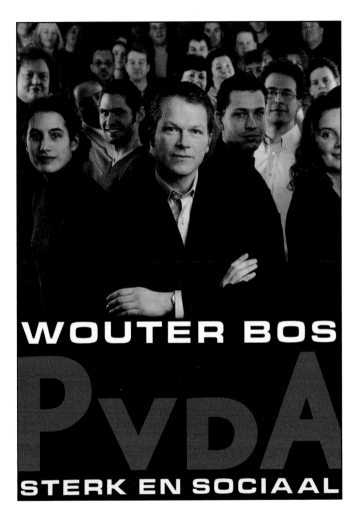

Op het pluche. Ontwikkelingen na 1945

CAREL BRENDEL

De PvdA ziet het licht in 1946, maar door de verbinding tussen socialisten, liberalen en christenen komt een echte doorbraak niet tot stand. Wel zitten de socialisten met meer mensen dan ooit op het pluche. Het is de tijd van rooms-rode coalities, het meest linkse kabinet uit de Nederlandse geschiedenis, drie verschillende socialistische premiers en zelfs van kabinetten zònder CDA, maar mét PvdA en VVD.

Binnen de PvdA zorgt Nieuw Links voor verjonging, maar ook voor ergernis. Sommigen leden kiezen hierdoor zelfs voor afsplitsing van de partij. GroenLinks ontstaat in 1991 uit een fusie van de kleine linkse partijen CPN, PSP, PPR en EVP, maar de som is zelden groter dan de afzonderlijke delen. De SP daarentegen groeit enorm. Sinds 2006 zitten er maar liefst 65 socialisten in de Tweede Kamer, een historisch hoogtepunt.

Sociaaldemocratische en katholieke kopstukken vormen de kern van de eerste naoorlogse regering. Het eerste rooms-rode kabinet wordt vernoemd naar de twee formateurs: vrijzinnig-democraat Schermerhorn en SDAP-er Drees. Het noodkabinet, benoemd door koningin Wilhelmina, moet verkiezingen voorbereiden en beginnen met de wederopbouw. Veel leden kennen elkaar van Beekvliet, het Duitse gijzelaarskamp voor prominente Nederlanders, die daar volop filosofeerden over politieke vernieuwing. Op het Binnenhof poseren (v.l.n.r.) De Booy (partijloze liberaal), Beel (RKSP), Van Schaik (RKSP), Logemann (partijloos, later PvdA), Mansholt (SDAP), Lieftinck (CHU, later PvdA), Vos (SDAP), premier Schermerhorn (VDB, later PvdA), Kolfschoten (RKSP), Drees (SDAP), Meynen (AR), Van Kleffens (partijloos), Ringers (partijloze liberaal), Van Roijen (partijloze liberaal). Van der Leeuw (partijloos, later PvdA) is afwezig.

De vrijzinnige predikant Willem Banning is in de jaren '30 gangmaker van de ideologische vernieuwingen binnen de SDAP. Na de bevrijding loopt hij voorop in het algemene streven naar een ingrijpende omvorming van het politieke landschap. Katholieke, protestantse en liberale politici sluiten zich aan bij de Nederlandse Volksbeweging. Ze zoeken naar een nieuw, ook christelijk geïnspireerd socialisme. De bisschoppen dwarsbomen de plannen, waarop de katholieken hun eigen KVP oprichten. Ook de Christelijk-Historische Unie haakt af. SDAP, Vrijzinnig Democratische Bond en Christelijk-Democratische Unie gaan samen in de nieuwe Partij van de Arbeid. Banning spreekt een geestdriftig stichtingscongres in het Amsterdamse Krasnapolsky toe: "Er is een doorbraak, er wordt een nieuw begin gemaakt." De eerste verkiezingsuitslag van de PvdA valt overigens zwaar tegen.

Schrijver Theun de Vries, musicoloog Eberhard Rebling, Wim Hulst van de Vereniging Nederland-USSR, Annie Gelok van de Nederlandse Vrouwenbeweging, C.H. Lenshoek, de eerste hoogleraar neurochirurgie in Nederland, en beeldend kunstenaar L.P.J. Braat poseren op Schiphol. Ze vormen de CPN-delegatie naar de jaarlijkse herdenking van de Oktoberrevolutie in Moskou. *De Waarheid* brengt juichende verhalen. Enkele koppen: 'Drie en dertig jaar vredespolitiek', 'Sinds 1917 strijdt de Sovjet-Unie voor de vrede', 'Waar de mens meester is van de natuur en de samenleving' en 'USSR, een familie van vrije volken'. Hulst ontwikkelt zich door zijn contacten met 'Moskou' tot een invloedrijke figuur achter de schermen van de CPN. Rebling ontvangt in 2007 op 95-jarige leeftijd de Yad Vashem-medaille voor zijn hulp aan tientallen joodse onderduikers.

 IISG | FOTO BEN VAN MEERENDONK

Premier Willem Drees stapt in een helikopter voor een verkenningsvlucht boven de overstroomde gebieden in Zeeland, Zuid-Holland en Noord-Brabant. Het kabinet wordt verrast door de omvang van de watersnoodramp van zondag 1 februari. Die zondag is er bijvoorbeeld geen extra regeringsberaad. Drees bezoekt die dag wel Dordrecht en Maassluis, twee licht getroffen steden. Pas later wordt duidelijk hoe ernstig de ramp is (1836 doden). De Koude Oorlog sijpelt door in het debat. In de Tweede Kamer geeft CPN-er Henk Gortzak de schuld aan de Amerikanen. Partijleider Paul de Groot zegt dat de dijken zijn verwaarloosd in verband met de oorlogsbegroting. De autoriteiten doen op hun beurt alles om communistische hulpacties te verijdelen. *Het Vrije Volk* omschrijft de communistische helpers in het rampgebied als 'bisamratten'.

Albert de Roos is lijsttrekker voor de Amsterdamse PvdA in vier naoorlogse gemeenteraadsverkiezingen (1946, 1949, 1953 en 1958). Zestien jaar lang is hij wethouder kunstzaken, de langstzittende PvdA-bestuurder in de hoofdstad. In 1954 prijkt de naam van de nu vrijwel vergeten politicus op een bruggenbord voor de Statenverkiezingen. Dit typisch Amsterdamse fenomeen doet zijn intrede in Slotermeer, een van de nieuwe tuinsteden in het westen van de stad. De nieuwe wijken zijn het

resultaat van de enorme sociaaldemocratische inspanningen op het gebied van de volkshuisvesting. Arbeiders en kleine middenstanders kunnen hun benauwde etages in de oude wijken verruilen voor ruime woningen in het groen. Nog eens vijftig jaar verder zijn de prachtwijken van toen veranderd in de probleemwijken van de eenentwintigste eeuw.

Bij verkiezingen in de jaren '50 gaat het er fel aan toe. Zo ook in de aanloop naar de stembusgang van 13 juni 1956. De VVD rijdt rond met aanhangers, waarop ze de PvdA en haar rode familieleden rechtstreeks aanvalt. De liberalen spelen in op de naoorlogse woningnood en op de populariteit van het VARA-radioprogramma *In Holland staat een huis* over de 'familie Doorsnee', geschreven door Annie M.G. Schmidt. Niet alleen VVD en PvdA (de grote winnaar), botsen. *Algemeen Handelsblad*: "Een verkiezingscampagne waarbij de stukken eraf vliegen. Zo zal de latere parlementaire geschiedschrijving de heftige verbitterde strijd kunnen kenschetsen, waarmee de KVP en de PvdA elkaar in dit jaar 1956 messcherp hebben bevochten. De twee coalitiegenoten hebben elkaar hatelijkheden noch beschuldigingen gespaard."

Demissionair premier Willem Drees (rechts) en minister van Financiën Henk Hofstra zitten achter de tafel op de verkiezingsavond bij de PvdA, in de hoofdstedelijke Beurs. De televisie speelt nog geen rol. De uitslagen komen binnen op grote handgeschreven vellen. Het grote publiek volgt de ontwikkelingen op straat, bij de etalages van de grote kranten. 'PvdA in krachtig herstel' kopt *Het Vrije Volk*, maar dat is alleen vergeleken met de rampzalige Statenverkiezingen van 1958. De partij verliest twee Kamerzetels. Na veertien jaar van moeizame samenwerking komt er een einde aan de reeks van rooms-rode coalities. Drees acht een rechts kabinet niet waarschijnlijk, maar zijn voorspelling zal niet uitkomen. Die avond hebben de socialisten nog hoop. Drees wordt door zijn partijgenoten uitgeluid met een ovationeel applaus.

Minister Anne Vondeling (PvdA) verdedigt zijn financiële beleid tijdens de Algemene Beschouwingen van 1966. Het debat gaat de geschiedenis in als 'De Nacht van Schmelzer'. Om 4.40 uur valt het rooms-rode kabinet-Cals over een motie van de katholieke voorman Norbert Schmelzer, die met steun van de rechtse oppositie wordt aangenomen. De PvdA ziet de actie van de KVP als een dolkstoot in de rug. 'De Nacht' heeft grote gevolgen voor de samenwerking tussen socialisten en confessionelen. In de PvdA begint een proces van radicalisering. In de hoop de verdeelde confessionele partijen te verzwakken kiest de PvdA voor polarisatie. Niet de 'brave' en als te gematigd beschouwde Vondeling wordt lijsttrekker, maar een nieuwe man. Het tijdperk-Den Uyl breekt aan.

Buitenlandse ontwikkelingen gaan vanaf de jaren '60 een grote rol spelen in de landelijke politiek. De televisie brengt de uitzichtloze oorlog in Vietnam, de gevolgen van de apartheid in Zuid-Afrika en de bloedige revoluties in Zuid-Amerika rechtstreeks in de Nederlandse huiskamers. Linkse partijen als de PSP en de CPN staan voorop in het protest tegen de 'wandaden van het Amerikaanse imperialisme en het westerse (neo-)kolonialisme'. De PSP, prominent aanwezig bij alle grote Vietnam-demonstraties, krijgt het verwijt dat ze aan selectieve verontwaardiging lijdt. Vandaar deze demonstratie voor het pacifistische partijgebouw aan de hoofdstedelijke Bloemgracht. De betogers willen aandacht voor de onderdrukking van de Papoea's in Nieuw-Guinea, dat vier jaar daarvoor door Nederland aan Indonesië is overgedragen.

Het Lieverdje op het Amsterdamse Spui, in de jaren '60 het domein van ludieke kunstenaars en Provo's, is ingenomen door de gevestigde politiek. Een dag voor de Kamerverkiezingen maakt de PvdA propaganda rond het beeldje. De partij verliest vier zetels en blijft buiten de regering. De politieke belangstelling is groot. Enkele dagen eerder wonen 1500 jonge bezoekers een 'teach-in' bij in de Beurs, waar twee ministers en vijf andere politieke kopstukken debatteren. Een ander nieuw fenomeen zijn de opiniepeilingen. *Het Parool* publiceert een dag na de verkiezingen de resultaten van 'uniek kiezersonderzoek'. De analyses zijn het werk van een jonge wetenschapper die in de veertig jaren daarna veel van zich zal doen spreken. Zijn naam: Marcel van Dam.

Invoering van de republiek na het aftreden van koningin Juliana, erkenning van de communistische DDR en een heffing van 99 procent op erfenissen boven de 100.000 gulden. Het zijn opvallende programmapunten uit het pamflet *Tien over Rood* (1966), waarmee de beweging Nieuw Links de PvdA wil wakker schudden. De jongeren, aangevoerd door André van der Louw, Han Lammers en Hans van der Doel, wil-

len af van de brave compromiscultuur. Ze grijpen hun kans op een roerig driedaags partijcongres in 1969. De partij neemt een door Lammers ingediende anti-KVP-motie aan, waardoor de kloof tussen rooms en rood nog dieper wordt. Maar liefst negen Nieuw Links-ers worden in het partijbestuur gekozen. Van der Louw, de nieuwe vice-voorzitter, maakt van dolle vreugde de legendarische 'berendans' op het podium.

Lijsttrekker Hans Wiebenga (rechts) en Henk Gortzak presenteren het affiche van de PSP voor de Kamerverkiezingen. Met de leus 'PSP ontwapenend' en de koe heeft niemand problemen, des te groter is de opwinding over de naakte vrouw. De christelijke partijen storen zich aan het bloot. Bij ontwerper Peter Noordanus worden de ruiten ingegooid. Overigens heeft de PSP zelf ook twijfels. Een voorstander beslecht de interne discussie met de woorden: "Jongens, rot nou effe op, elke arbeider houdt van een bloot wijf." Het omstreden plakkaat zorgt niet voor electoraal suc-

ces. De pacifistische fractie wordt gehalveerd, van vier naar twee zetels. Gortzak verdwijnt uit de Kamer tot vreugde van de communisten, die hun voormalige partijgenoot beschouwen als een 'scheurmaker'.

Onderdeel van de polarisatie tussen links en rechts is de vorming van een scha-
duwkabinet, naar Brits voorbeeld. PvdA-leider Joop den Uyl presenteert twaalf
dagen voor de verkiezingen zijn 'nieuwe ministersploeg', geflankeerd door de 'vice-
premiers' Hans van Mierlo (D66, links van Den Uyl) en Jacques Aarden (PPR, rechts).
Veel van de *would-be*-bewindslieden zijn snel vergeten, maar een aantal van hen
brengt het later alsnog tot minister of staatssecretaris, zoals Ed van Thijn, Marcel van
Dam en Henk Vredeling. "Voor het eerst kunnen de Nederlandse kiezers niet alleen
de Tweede Kamer, maar ook de regering kiezen", verklaart schaduwpremier Den Uyl.
De drie partijen van zijn progressieve kabinet blijven echter steken op 52 zetels.

Traditioneel ingestelde PvdA-leden vinden de opmars van Nieuw Links rampzalig. Erelid Willem Drees is verontwaardigd over de moties tegen de KVP en vóór de DDR. In mei 1971 bedankt hij voor de PvdA. Zoon Willem jr. is dan leider van DS'70, de afsplitsing van de rechtse opposanten. De merknaam Drees doet het goed. Vanuit het niets haalt DS'70 acht zetels bij de verkiezingen van maart 1971. De starre Drees jr. mist het charisma om de nieuwe partij tot een blijvend succes te maken. Hij veroorzaakt in 1972 een kabinetscrisis. Bij tussentijdse raadsverkiezingen in Alkmaar is de partij nog volop aanwezig. DS'70-kopstukken als Jan Berger (links), jonkheer Maup de Brauw (derde van links) en Drees junior (vierde van links) scharen zich rond ex-staatssecretaris Fia van Veenendaal.

Rond de Lockheed-affaire, de mogelijke omkoping van prins Bernhard door de
Amerikaanse vliegtuigbouwer Lockheed, breekt in 1976 een publicitaire storm
uit. Het wordt een lastige klus voor Joop den Uyl, premier van 'het meest linkse kabinet uit de Nederlandse geschiedenis'. Den Uyl zet een commissie aan het werk onder
mr. A.M. Donner (vader van de latere minister). Conclusie: "De prins heeft zich veel
te lichtvaardig begeven in transacties, die de indruk moesten wekken dat hij gevoelig
was voor gunsten." In het politieke mijnenveld vindt Den Uyl een elegante oplossing,
waar zelfs verstokte monarchisten vrede mee hebben. Bernhard wordt gestraft door
een verbod om militaire uniformen te dragen. In de Kamer verdedigt Den Uyl het rapport-Donner, samen met minister van Binnenlandse Zaken W.F. de Gaay Fortman
(rechts).

'**K**laas komt!' is een leus die Amsterdamse Provo's in de jaren '60 op muren kalken. In 1977 staat 'Joop komt!' op een muur in de hoofdstedelijke Nieuwmarktbuurt. Het kabinet-Den Uyl is gevallen over de grondpolitiek. De verkiezingscampagne loopt uit op een tweestrijd tussen Den Uyl (leus: 'Kies de minister-president') en Dries van Agt, de eerste lijsttrekker van het CDA. De kleine linkse partijen krijgen zware klappen. De CPN probeert het met de leus 'Van Agt eruit, de CPN erin!', maar zakt van zeven naar twee zetels. Voormalig leider Paul de Groot roept op de 'softe' partijleiding te vervangen door 'gestaalde kaders'. Niemand luistert meer. Daarmee is de rol van De Groot uitgespeeld.

Veel kiezers zien de PvdA als een schild voor de sociaal zwakken (werklozen, WAO'ers, AOW'ers) tegen dreigende rechtse bezuinigingen. De lokroep van Den Uyl reikt tot in Oost-Groningen, traditioneel bolwerk van de CPN. De tegenstellingen tussen boeren en landarbeiders zijn van oudsher groot in Finsterwolde, Beerta en Nieuweschans (Reiderland). In de jaren '70 beleeft de CPN hier een nieuwe bloei dankzij vakbondsman Fré Meis, die landelijke furore maakt als leider van de stakingen in de strokartonindustrie. Oost-Groningen blijft ook later koppig geloven in het communisme. Als de CPN in 1989 opgaat in GroenLinks, stappen de gestaalde kaders ('horizontalen') over naar de Nieuwe Communistische Partij Nederland, die alleen in Reiderland een grote aanhang weet te verwerven.

De PvdA-ers kunnen hun ogen niet geloven als de eerste uitslagen binnenkomen van de verkiezingen, die nodig zijn na de val van het kabinet-Den Uyl. De sociaaldemocraten boeken een ongekende winst van tien zetels. Den Uyl incasseert de premierbonus. Partijvoorzitter Ien van den Heuvel is dolenthousiast, terwijl staatssecretaris Jan Schaefer (in donker T-shirt) een sigaretje opsteekt. De monsteroverwinning zal later de geschiedenis ingaan als de 'overwinningsnederlaag'. De PvdA weet de zege namelijk niet te verzilveren. Ze heeft de kleine partijtjes aan de linkerzijde verzwolgen, maar de rechtse partijen houden een meerderheid. Den Uyl wordt tijdens de formatie afhankelijk van de welwillendheid van zijn confessionele tegenstrever Dries van Agt. Dat alles zal grote gevolgen hebben voor de kabinetsformatie.

Joop den Uyl slaat driftig aan het formeren. De verwachtingen zijn hooggespannen. Met steeds weer nieuwe PvdA-eisen groeit de irritatie bij D66 en vooral bij de confessionelen. De CDA-fractie is eensgezind, anders dan de confessionele verdeeldheid van 1973. Het touwtrekken over het regeerakkoord en de verdeling van ministersposten duurt eindeloos. Het CDA slikt met ingehouden woede de PvdA-eis dat

lijstrekker Van Agt niet op Justitie mag komen. Maar zelfs dat is niet genoeg. De partijraad, aangevoerd door de radicale vredesactivist Piet Reckman uit Odijk, verwerpt een voorlopig akkoord. De stemming tussen de coalitiepartners is totaal bedorven. Den Uyl stapt naar de koningin om zijn opdracht terug te geven. Razendsnel vormen Van Agt en VVD-leider Wiegel hun kabinet. Het tweede kabinet-Den Uyl is er nooit gekomen.

   NATIONAAL ARCHIEF | ANEFO | FOTO ROB CROES

De sociale onrust is groot in de herfst van 1979. In Rotterdam loopt de weken durende wilde havenstaking op zijn eind. Bij Shell in Moerdijk kondigt Industriebond FNV een staking af. De PvdA organiseert op haar beurt in het land vijf manifestaties tegen het beleid van het kabinet-Van Agt/Wiegel. "Ik ben het kabinet spuugzat", zegt Den Uyl. "Het is een heidens kabinet." In Leeuwarden brengt deze 'rode

zaterdag' veel volk op de been. 'Werk voor Friesland' is de leus. Linkse partijen en vakbonden komen in de jaren '70 vaker in actie om te protesteren tegen de achterblijvende werkgelegenheid in de drie noordelijke provincies. Ze willen dat de opbrengsten van de aardgasbel in Slochteren ten goede komen aan het Noorden.

Voor de gestaalde kaders is het slikken tijdens het CPN-congres van 1982. De 'feminisering' van de partij is een feit met de verkiezing van Ina Brouwer (derde van rechts) tot lijsttrekker en van Evelien Eshuis (rechts) tot nummer drie op de lijst. Eshuis profileert zich ook in de lesbische vrouwenbeweging 'Landelijk Pottenoverleg'. De oude garde in de CPN, vertegenwoordigd door Joop Wolff en Marcus Bakker (links van Brouwer) lijkt uitgediend. Het besluit over *De CPN in de oorlog*, het omstreden pamflet uit 1958 waarin Bakker de tegenstanders van partijleider Paul de Groot belasterde wegens vermeende fouten in het verzet, wordt doorgeschoven naar een volgend congres. Brouwer: "De waardevolle tradities zijn gebleven, maar haar afkeurenswaardige tradities worden nu ook door de CPN zelf bekritiseerd."

De PvdA organiseert een openbare bijeenkomst na de enorme rellen rond de ontruiming van het kraakpand De Lucky Luyk, waarbij voor één miljoen gulden schade is aangericht in de Amsterdamse straten. De bevolking begint genoeg te krijgen van de steeds terugkerende krakersrellen. Joop den Uyl zit op het podium, zijn echtgenote Liesbeth staat hem bij in de zaal. Zij dwarsboomt een act van politicus/kunstenaar Mike von Bibikov door vóór hem te gaan staan als hij gewapend met een speelgoedpistool het zicht op Joop den Uyl wegneemt. Liesbeth den Uyl is ook voorzitter van de Rooie Vrouwen in Amsterdam en is vooral bekend door haar acties voor de 'dwaze moeders' in Argentinië, de weduwen en moeders van door de junta ontvoerde en vermoorde burgers.

F red van der Spek spreekt op het congres van de PSP in Rotterdam. De partij is zeer actief in de vredesbeweging, die in deze periode hoogtijdagen beleeft met de massale demonstraties tegen de plaatsing van kruisraketten. Desondanks raakt de pacifistische partij in verval. De verstokte republikein Van der Spek, scheikundeleraar aan het door de prinsesjes bezochte Baarns Lyceum en medeoprichter van de PSP, kan het tij niet keren. Hij wil niets weten van compromissen en toenadering tot andere linkse partijen. Eind 1985 houdt Van der Spek het voor gezien. Hij vormt een eenmansfractie, maar een grote aanhang krijgt hij niet. Het wordt helemaal niets met de splinterpartijen Partij voor Socialisme en Ontwapening (PSO) en PSP'92.

De nieuwe partijleider Wim Kok foldert op de Albert Cuypmarkt voor de PvdA ter gelegenheid van de Statenverkiezingen. Arbeiderszoon Kok is lid sinds 1961. Zijn roeping ligt vooralsnog bij de vakbeweging, als leider van NVV en FNV. In 1982 leidt Kok de vakbondsacties tegen de ziektewetplannen van het 'vechtkabinet-Van Agt/Den Uyl'. Daarna valt zijn naam regelmatig als 'kroonprins' voor Den Uyl, wiens regime ten einde loopt. In 1986 zegt Kok eindelijk 'ja' en fungeert als lijstduwer voor Den Uyl, die voor de zevende en laatste keer lijstaanvoerder is. Het duo wint vijf zetels na de zware klappen van 1982, maar het is een 'overwinningsnederlaag'. Kok heeft drie jaar extra nodig om de kloof met het CDA te dichten en de PvdA terug in de regering te brengen.

Geconfronteerd met een aanhoudende electorale neergang groeit bij de kleine linkse partijen (PPR, PSP, CPN en de Evangelische Volkspartij EVP) de behoefte aan samenwerking. Op lokaal niveau kunnen de partijen goed met elkaar opschieten. Dat alles leidt tot het besluit om onder de naam GroenLinks samen op te trekken bij de Kamerverkiezingen van september 1989. De weerstand is nog het grootst bij de CPN en de PSP, waar kleine groepen zich afsplitsen uit protest tegen de uitverkoop van principes. De kopstukken van de nieuwe lijst plakken samen het eerste plakkaat op. Andrée van Es (PSP) ziet toe hoe Ria Beckers (PPR), Ina Brouwer (CPN) en Paul Rosenmöller het werk doen. De formele oprichting van GroenLinks vindt plaats in november 1990.

De PvdA doet het slecht in de peilingen na de WAO-crisis van 1991. Tienduizenden leden bedanken voor de eer. Begin 1993 start de PvdA een groot offensief in Amsterdam om de kiezers terug te winnen. Bijna de complete partijtop gaat op werkbezoek in de hoofdstad. Minister van Financiën en partijleider Wim Kok bezoekt de fabriek Werkspoor (intussen verdwenen). Jeltje van Nieuwenhoven trekt de Bijlmer in. Duovoorzitter Ruud Vreeman bestudeert het openbaar vervoer. Collega-voorzitter Felix Rottenberg (foto, midden) ontmoet in de Staatsliedenbuurt een boze bewoonster, die klaagt over criminaliteit en drugsoverlast. Rottenberg en Vreeman houden later een 'grote schoonmaak' in de Kamerfractie. In 1994 verliest Kok twaalf zetels, maar het CDA krijgt nog grotere klappen. De tijd lijkt rijp voor een 'paarse' regering met de socialisten (rood) en liberalen (blauw), onder leiding van een PvdA-premier.

De in 1972 opgerichte Socialistische Partij (SP) is de voortzetting van een maoïstische afsplitsing van de CPN. In 1974 boekt ze eerste successen bij de raadsverkiezingen in Nijmegen en de industriestad Oss, waar Jan Marijnissen de lijst aanvoert. Onder zijn strakke leiding ontdoet de SP zich van maoïstische symbolen en gaat een links-populistische politiek voeren. De SP vraagt veel van haar leden: ze moeten meedoen aan lokale acties en bereid zijn te colporteren met het partijblad *De Tribune*. Ze krijgen daardoor de bijnaam 'Rode Jehovah's'. De landelijke doorbraak komt pas in 1994. De SP profiteert van de grote klappen die PvdA en CDA krijgen, en verovert twee zetels. De nieuwe Kamerleden Remi Poppe (links) en Jan Marijnissen gaan op de schouders van de feestvierende aanhang.

Prominente leden van VVD, D66 en PvdA vergaderen sinds 1973 drie of vier keer per jaar in het statige Hotel des Indes in Den Haag. VVD en PvdA sluiten elkaar uit bij de regeringsvorming, maar de deelnemers vinden het nuttig om contact te houden, bijvoorbeeld over kwesties als abortus en euthanasie, waarin ze vaak lijnrecht tegenover het CDA staan. De machtspositie van het CDA wekt links en rechts irritatie. Af en toe dromen de Des Indes-gangers van een rood-blauwe, of te wel 'paarse' coalitie. De kans komt in 1994, als het CDA maar liefst twintig zetels verliest. In snel tempo formeert Wim Kok een paars kabinet. Bij het afleggen van de regeringsverklaring wordt hij geflankeerd door de vice-premiers Van Mierlo (D66, links) en Dijkstal (VVD).

Na de vorming van het eerste kabinet-Kok keert het zelfvertrouwen terug in de PvdA. De paarse regering heeft het tij mee. Nederland beleeft een ongekende economische groei, waardoor er ruimte is voor lastenverlichting voor burgers en bedrijven. Met de leus 'Sterk en sociaal' en het vertrouwenwekkende gezicht van Wim Kok op de affiches gaat de PvdA de verkiezingen in. De partij herstelt zich van de klap van 1994 en wint acht zetels. In Paradiso in Amsterdam, waar de partij de verkiezingsavond viert, spelen zich hectische taferelen af als Kok binnenkomt, samen met echtgenote Rita. De premier gaat verder met de coalitiepartners VVD en D66, maar zijn tweede kabinet zal de chemie en enthousiasme van het eerste paarse experiment missen.

Met Leefbaar Rotterdam haalt Pim Fortuyn een historische overwinning bij de raadsverkiezingen. De criticus van het paarse beleid geniet zichtbaar tijdens het nachtelijke lijsttrekkersdebat. De verliezers van de dag, landelijk PvdA-lijsttrekker Ad Melkert (rechts) en VVD-er Hans Dijkstal zitten er chagrijnig en onderuitgezakt bij. Melkert heeft een lange autorit uit Heerenveen achter de rug, waarin hij zich in de put liet praten door zijn assistenten Susan Baart en Gerdi Verbeet. De kijkers trekken hun conclusies en kiezen massaal voor Fortuyn. De LPF-leider, twee maanden later slachtoffer van een moordaanslag, heeft een socialistisch verleden. Aan de Vrije Universiteit leidde hij linkse studentenacties en in Groningen was hij assistent van de marxistische hoogleraar Ger Harmsen. Ook is hij korte tijd lid geweest van de PvdA.

De fractie van de vermoorde Pim Fortuyn maakt er grote puinhoop van. In deze chaos valt binnen enkele maanden het eerste kabinet-Balkenende. Het is de kans voor de PvdA om zich te herstellen van de mokerslagen van mei 2002. De gang-maker van het herstel is de voormalige staatssecretaris van Financiën Wouter Bos (tweede van rechts), die door de leden tot partijleider wordt verkozen boven oudge-diende Jeltje van Nieuwenhoven (uiterst rechts op de foto). Bos voert een flitsende campagne, die de PvdA in januari 2003 negentien zetels winst oplevert. In de fractie-kamer krijgt Bos een warm onthaal. Ondanks de klinkende overwinning lukt het de PvdA niet om terug te keren in het kabinet. Balkenende kiest voor een rechtse coalitie met VVD en D66.

Niet Wouter Bos, maar Jan Marijnissen van de SP wordt de grote linkse winnaar van de Kamerverkiezingen, die nodig worden nadat het kabinet-Balkenende II is gestruikeld over de door minister van Integratie Rita Verdonk in het leven geroepen kwestie rond de nationaliteit van Ayaan Hirsi Ali. Het leiderschap van Wouter Bos verliest zijn glans na de ongelukkige presentatie van zijn AOW-plannen. De SP begint aan een grote sprong voorwaarts. Feyenoord-fan en 'katholieke jongen' Marijnissen weet nieuwe groepen linkse kiezers aan zich te binden, vooral ten koste van de PvdA. In november 2006 is het groot feest voor de SP die stijgt van negen naar 25 zetels. In maart 2007 boekt Marijnissen nieuwe successen bij de Statenverkiezingen, die hij viert in café Dudok in Den Haag.

ANP | FOTO OLAF KRAAK

Wouter Bos zet de stijgende lijn voort in de eerste jaren van het impopulaire kabinet-Balkenende II. Bij de raadsverkiezingen van 2006 boekt de PvdA grote successen. Bos geldt als de grote inspirator hiervan. In de landelijke peilingen klimt de partij naar zestig zetels. Mede met behulp van voorkeursstemmen vaardigt de PvdA opvallend veel allochtonen af naar de lokale politiek. Een van de nieuwelingen is Ahmed Marcouch. De voormalige politieman en jongerenwerker is de eerste stadsdeel-'burgemeester' van Marokkaanse afkomst. Hij kwam als tienjarige jongen naar Nederland en heeft zichzelf lezen en schrijven geleerd. Hij wordt de mediagenieke voorzitter van het moeilijke Amsterdamse stadsdeel Slotervaart, waar overigens ook de moslimextremist Mohammed B. – de moordenaar van Theo van Gogh - is opgegroeid.

De geschiedenis leert dat een grote overwinning voor de PvdA niet altijd leidt tot deelname aan de regering. Omgekeerd opent een pak slaag soms onverwachts de toegang tot het ministerspluche, zoals Wim Kok heeft ervaren in 1994. Ook Wouter Bos zet een nederlaag om in een overwinning. Door de uitslag van 2007 zijn confessionelen en sociaaldemocraten opnieuw op elkaar aangewezen. De derde partner van het kabinet-Balkenende-IV is de ChristenUnie, een nieuwkomer in het centrum van de macht. De premier en de twee vice-premiers hebben één ding gemeen: een studie aan de Vrije Universiteit. Na een persconferentie maken (v.l.n.r.) Wouter Bos, Jan Peter Balkenende en André Rouvoet een wandelingetje door de tuin van het Catshuis.

Kopstukken. Gangmakers van de beweging

JANNES HOUKES EN ALBERT BUURSMA

Domela Nieuwenhuis met zijn profetenkop heeft als bijnaam 'Ûs Ferlosser' (Fries voor onze verlosser) en de oprichters van de SDAP heten 'de twaalf apostelen'. Religieuze termen blijken heel goed te gedijen in de socialistische beweging, die dan ook zeker in zijn

begintijd van missie en bevlogenheid bruist. Nederland heeft de naam niet veel op te hebben met charismatische leiders, maar het socialisme heeft er toch een aantal voortgebracht. Domela Nieuwenhuis, Troelstra en Den Uyl worden met algemene instemming charismatische leiders gevonden. Over Den Uyl verscheen in februari 2008 een biografie van de hand van Anet Bleich, waarin wordt gereconstrueerd hoe hij de monarchie redde na de Lockheed-affaire. Een andere alom geliefde socialist, 'Vadertje' Drees, eindigde als nummer drie in de verkiezing Grootste Nederlander Aller Tijden (2004), na Willem van Oranje en Pim Fortuyn.

De koppen in deze portrettengalerij hebben in een enkel geval die grote uitstraling horend bij een succesvol leider. Sommigen zijn inmiddels bijna vergeten, maar allen waren in hun tijd en op hun manier gezichtsbepalend voor de socialistische beweging.

Ferdinand Domela Nieuwenhuis laat zich de Friese eretitel 'Ûs Ferlosser' aanleunen. Hij wordt door arbeiders aanbeden omdat hij zijn maatschappelijke positie voor hen opgeeft, in de gevangenis belandt en ten slotte verarmd een beroep moet op hen moet doen om financiële ondersteuning. Domela begint zijn loopbaan als luthers predikant, maar verliest zijn geloof en gaat in 1878 over tot het socialisme. Hij

is de belangrijkste leider, publicist en spreker van de vroege socialistische beweging. In 1886 wordt hij veroordeeld tot een jaar gevangenisstraf wegens majesteitsschennis. Van 1888 tot 1891 zit hij in Tweede Kamer voor het Friese kiesdistrict Schoterland. Steeds meer schuift hij op naar het anarchisme, dat hij tot zijn dood in 1919 als zijn levensovertuiging blijft uitdragen.

Willem Vliegen is één van de 'twaalf apostelen' die de SDAP hebben opgericht. Hij poseert hier als redacteur van het partijblad *Het Volk*. Maar ook is hij sinds 1909 Tweede Kamerlid, Amsterdamse gemeenteraadslid en Statenlid van Noord-Holland. Vanaf 1914 is hij bijna tien jaar wethouder van Amsterdam, waar het 'Vliegen-bos' in Noord naar hem vernoemd is. Vliegen is een van de zeer weinige socialisten uit Limburg. Hij is typograaf van huis uit en leert zo Duits en Frans. Rond de eeuwwisseling woont hij enige jaren als journalist in Parijs en ontwikkelt zich zo tot een internationaal georiënteerde politicus. Vliegen is bovendien met zijn *De dageraad der volks-bevrijding* en *Die onze kracht ontwaken deed* dé geschiedschrijver van de socialistische beweging.

Aletta Jacobs moet als vrouw speciale toestemming van minister J.R. Thorbecke vragen voor zij zich als student geneeskunde aan de universiteit van Groningen in mag schrijven. In 1871 is zij de eerste vrouwelijke student, acht jaar later vestigt zij zich als arts in Amsterdam. Via haar latere man komt zij in contact met de Nieuw-Malthusiaanse Bond, die anticonceptie propageert. In 1882 begint ze in het gebouw van de Amsterdamsche Werkmansbond cursussen over hygiëne en zuigelingenzorg.

Ook verstrekt zij op haar spreekuur voorbehoed-middelen. Daarnaast zet zij zich in voor het vrouwenkiesrecht. In 1883 wil zij zich op de kiezerslijst voor de Tweede Kamerverkiezingen laten plaatsen. Hoewel zij aan alle criteria voldoet wijst de Hoge Raad haar wens af. In 1887 wordt in de Grondwet opgenomen dat het kiesrecht aan mannen is voorbehouden.

Henri Polak is niet alleen voorzitter van de Algemeene Nederlandsche Diamant-bewerkers Bond en één der oprichters van de SDAP, maar heeft ook grote culturele belangstelling. Vooral voor William Morris en diens 'Arts and Craft' -beweging. Het gebouw van de diamantbewerkers wordt door H.P. Berlage ontworpen en door beeldend kunstenaar Rik Roland Holst gedecoreerd. Polak heeft ook belangstelling voor monumentenzorg en het behoud van het Nederlandse landschap. Hij strijdt samen met Jac. P. Thijsse voor het behoud van het Naardermeer. In 1932 ontvangt Polak van de Amsterdamse Universiteit een eredoctoraat, waarbij niet alleen gewag wordt gemaakt van zijn verdiensten voor de arbeidersbeweging, maar ook van zijn kennis van en liefde voor cultuur en natuur.

Suze Groeneweg komt in 1918 als eerste vrouw, namens de SDAP, in de Tweede Kamer. Dat is nog voor de invoering van het actieve kiesrecht voor vrouwen, dat pas een jaar later tot stand komt. Groeneweg is onderwijzeres, die zich via de Bond van Nederlandsche Onderwijzers en de drankbestrijding bij de SDAP aansluit. Zij voelt zich niet erg thuis bij de feministes binnen de SDAP. Zij vindt het tegennatuurlijk dat, zoals zij zegt: "groepje van hetzelfde geslacht zich afzondert en aardig en lief

tegen elkaar doet." In de Tweede Kamer, waar ze vooral woordvoerder voor onderwijs is, wordt vreemd tegen haar aangekeken. Haar intrede zorgt voor opschudding en op het Binnenhof krijgt zij een eigen kleedkamer. De gang daarheen wordt spottend Groenewegje genoemd.

Naast sociaaldemocratie, communisme en anarchisme zijn er in de arbeidersbeweging nog andere stromingen. De literator Frederik van Eeden personifieert het utopisme. Hij begint in 1902 in het Gooi de kolonie Walden, waar met landbouw en ambachtelijke bedrijven een onafhankelijk, eenvoudig en harmonieus productief bestaan moet ontstaan. Het wordt een grote mislukking en Van Eeden is een illusie en veel geld armer. Hij steunt de Spoorwegstakingen van 1903 en begint een coöperatie om de ontslagen stakers aan werk te helpen, zijn Maatschappij De Eendracht gaat echter failliet. In 1922 probeert hij nog één keer tevergeefs met de Grondpartij zijn socialistische ideeën te verwerkelijken, maar ten tijde van de foto is hij bekeerd tot het katholicisme.

Jan van Zutphens jeugd is beschreven in Cor Bruyns roman *Koentje van Kattenburg*. Van Zutphens jeugd is getekend door tuberculose, toen een gevreesde volksziekte. Op de foto collecteert hij voor de tbc-bestrijding. Als secretaris van de Algemeene Nederlandsche Diamantbewerkers Bond komt hij weer met tbc in aanraking, nu als beroepsziekte. Hij richt in 1905 het Diamantbewerkers Koperen Stelen Fonds op. Het fonds bekostigt de verpleging van tbc -patiënten uit de opbrengst van de verkoop van koperen stelen, een restproduct van de diamantslijperij. Op gegeven moment is het mogelijk om uit slijpersafval diamantpoeder te zuiveren dat opnieuw bruikbaar is. Met de opbrengst hiervan koopt Van Zutphen een terrein in Hilversum. Daar bouwt de architect Jan Duiker het sanatorium Zonnestraal, dat in 1928 de poorten opent.

Jan Oudegeest is niet alleen in het NVV, maar ook binnen de internationale vakbeweging een vooraanstaande figuur. Van 1927 tot 1934 is hij tevens voorzitter van de SDAP. In die functie metselt hij in 1928 de eerste steen van het gebouw van de Arbeiders Jeugd Centrale. Niet iedereen binnen SDAP en NVV is gecharmeerd van de AJC, die als elitair wordt gezien. De Nederlandsche Arbeiders Sportbond is een goed alternatief. Oudegeest is geen groot voorstander van een zelfstandige jeugdbeweging, die hij ziet als een broedplaats van radicale ideeën. Al bij de oprichting van de AJC in 1918 verzet hij zich tegen een grote zelfstandigheid van de jongeren en wil hij een raad van toezicht vanuit de partij.

Getroffen door een beroerte kan Troelstra zijn memoires niet meer zelf schrijven. Na de publicatie van het eerste deel *Wording*, wordt Wiardi Beckman gevraagd om hem te helpen. Wiardi Beckman is bezig met zijn proefschrift over het Franse syndicalisme en woont in Parijs, maar omdat hij van jongs af aan grote bewondering voor Troelstra voelt keert hij onmiddellijk terug naar Nederland. Hij zal na het plotselinge overlijden van Troelstra op 12 mei 1930 het laatste deel van de memoires, getiteld *Storm*, schrijven aan de hand van al eerder verzamelde aantekeningen. Wiardi Beckman oogst er veel lof mee. In de makkelijke stoel zit de tweede vrouw van Troelstra, Sjoukje Oosterbaan, die eerst zijn huishoudster is geweest.

Gerrit Zwertbroek (links) richt in 1926 de VARA op. Hij is een geliefd radiospreker. Na de executie van Marinus van der Lubbe, die wordt veroordeeld voor het in brand steken van de Rijksdag, laat Zwertbroek de VARA vijf minuten stilte uitzenden. In 1934 wordt hij vanwege dit soort acties ontslagen. Hij meent dat joodse SDAP-ers daar achter zitten en ontwikkelt zich tot antisemiet. Tijdens de bezetting keert Zwertbroek terug als nazipropagandist, met zoveel succes dat het ondergrondse verzet in 1943 een aanslag op hem pleegt. Na de oorlog zit hij een lange gevangenisstraf uit. In de jaren '60 duikt Zwertbroek op als broeder Gerardus Johannes. Gehuld in monnikspij doolt hij als antisemitische boeteprediker door Amsterdam. Een officiële krankzinnigheidsverklaring beschermt hem tegen justitiële vervolging.

Als vakbondsbestuurder steunt Henk Sneevliet in 1911 tegen de wil van SDAP en NVV een internationale zeeliedenstaking. Hij wordt afgezet en vertrekt naar Nederlands-Indië. In 1918 wordt hij als communist uitgewezen. In 1921 vertrekt Sneevliet in opdracht van Lenin naar China als vertegenwoordiger van de Communistische Internationale. Vanaf 1924 speelt hij een oppositionele rol binnen de communistische

beweging. Op deze amateurfoto verlaat hij in 1933 de gevangenis na het uitzitten van een straf voor zijn steun aan de muiterij op het marineschip De Zeven Provinciën. Dat levert een Kamerzetel op voor zijn Revolutionair-Socialistische Partij, met de verkiezingsleus: 'Kiest Sneevliet uit de cel'. Sneevliet zet zijn politieke strijd tijdens de bezetting voort. Ten slotte wordt hij gepakt en in 1942 geëxecuteerd.

F.M. Wibaut is de grote man van de socialistische gemeentepolitiek. In 1913 wint de SDAP in Amsterdam de raadsverkiezingen en Wibaut wordt wethouder. Hij krijgt Volkshuisvesting en Arbeidszaken in de portefeuille. Tijdens de Eerste Wereldoorlog heeft hij de verantwoordelijkheid over de voedseldistributie. De SDAP heeft het zwaar te verduren als er voedselrelletjes uitbreken. Van 1919 tot 1931 is Wibaut

met enige onderbrekingen wethouder van Financiën in de door de SDAP overheerste gemeenteraad en komt zo aan zijn bijnaam 'de machtige'. Hier is hij in 1933 als ambtloos toeschouwer bij een socialistische meeting op het Amsterdamse IJsclubterrein.

Koos Vorrink en andere vernieuwers van de SDAP willen na de opkomst van het fascisme en het communisme de massa mobiliseren. Vanaf 1933 pleit Vorrink voor samenwerking tussen de arbeidende klasse en middengroepen om als een eenheidsfront van tegenstanders van dictatuur te werken. Dit combineert hij met de opvatting dat de mensen graag opgaan in een gemeenschap, waarin de leiding een

vooraanstaande rol heeft te spelen. De leider dient de massa op standvastige wijze de weg te wijzen naar een betere samenleving. Het volk moet door propaganda in massabijeenkomsten met vaandels en banieren geestdriftig voor de beweging gemaakt worden. Vorrink onderhoudt warme contacten met geestverwante protestanten en katholieken en verfoeit communisten en fascisten.

In 1937 is Monne de Miranda al lange tijd SDAP-wethouder. Hij beheert de porte-feuilles van Levensmiddelenvoorzieningen, Was- Bad- en Zweminrichtingen, Volkshuisvesting en Publieke Werken. Samen met Wibaut zorgt hij er voor dat in Amsterdam grote woningcomplexen tot stand komen en veel krotten verdwijnen. Tijdens de economische crisis in de jaren '30 zet De Miranda zich in voor een goede werklozenzorg, vooral voor werkverschaffing, waarin een hoger loon kan worden ver-diend dan de uitkering via Maatschappelijk Hulpbetoon. Gingen de Amsterdamse werklozen voorheen naar Drenthe, De Miranda zet hen aan het werk om het Amster-damse Bos aan te leggen. Tijdens de bezetting wordt De Miranda op gruwelijke wijze in concentratiekamp Amersfoort om het leven gebracht.

In 1925 wordt J.W. Albarda SDAP-fractievoorzitter. Hij heeft zich ontwikkeld van marxist tot gematigde sociaaldemocraat. De SDAP besluit in 1937 de eis van nationale ontwapening te schrappen. De Tweede Kamerfractie stemt dan voor het eerst in met de defensiebegroting. In 1939 valt het vierde kabinet-Colijn. Er komt een kabinet-De Geer met voor het eerst sociaaldemocratische ministers. Albarda komt op Waterstaat, we zien hem hier in zijn ministerspak, en Jan van den Tempel op Sociale Zaken. Albarda

krijgt niet de kans om zich als minister te bewijzen: op 10 mei 1940 wijkt het kabinet naar Engeland uit. In ballingschap blijft hij minister in de kabinetten-Gerbrandy tot begin 1945, wanneer hij aftreedt uit protest tegen het ontslag van SDAP-minister Jan Burger.

Willem Schermerhorn (1894-1977), hier met generaal Eisenhower, is een Noord-Hollandse boerenzoon. Hij is zowel premier van het eerste naoorlogse kabinet van 'herstel en vernieuwing', als een wereldberoemd geleerde op het gebied van luchtkartering. Na verzetsdaden in oorlogstijd is hij mede-initiatiefnemer van de Nederlandse Volksbeweging. Volgend op zijn premierschap wordt hij voorzitter van de Commissie-Generaal voor Nederlands-Indië. Hij voert een radicale politiek, gericht op de onafhankelijkheid van Indonesië, die binnenlands vaak felle tegenstand ontmoet. Het door Schermerhorn en Sjahrir op 15 november 1946 ondertekende akkoord van Linggadjati maakt de weg vrij voor overdracht van de soevereiniteit. Na ontbinding van de Commissie-Generaal keert hij terug naar de wetenschap, is nog Tweede en Eerste Kamerlid, maar speelt geen vooraanstaande politieke rol meer.

De uit het Friese Tijnje afkomstige Hein Vos (1903-1972), hier tweede van links tijdens een PvdA-congres te Utrecht, is als student al actief in de SDAP. Als eerste directeur van het Wetenschappelijk Bureau van de SDAP is hij belast met de opstelling van het 'Plan van de Arbeid', een programma ter bestrijding van de economische depressie. Vos wordt in 1945 minister van Handel en Nijverheid in het kabinet-Schermerhorn-Drees en neemt het initiatief tot oprichting van het Centraal Planbureau. Vervolgens is hij minister van Verkeer en Waterstaat in het kabinet-Beel. Als Kroonlid van de SER is hij betrokken bij de totstandkoming van de AOW. Als lid van het Europees Parlement draagt Vos bij aan de samenwerking van de socialistische partijen van de betrokken landen.

Verzetsman Frans Goedhart (1904-1990) alias 'Pieter 't Hoen' (rechts), op Schiphol na een bezoek aan Indonesië. Zijn schuilnaam ontleent hij aan een Nederlands journalist van een fel-patriottisch, anti-orangistisch weekblad in de jaren 1781-1788. Goedhart is oprichter van het illegale *Het Parool* en Kamerlid voor de PvdA. Hij draagt de nationalistische zaak in Indonesië een warm hart toe. Voor de oorlog werkte Goedhart voor *De Telegraaf* en het Brusselse liberale blad *Het Laatste Nieuws*, waar hij vanwege zijn optreden bij een typografenstaking in 1931 wordt ontslagen. Geradicaliseerd door zijn wederwaardigheden in België wendt hij zich begin jaren '30 tot de CPN. Na zijn royement in 1934 wegens dissidente ideeën ontwikkelt hij zich tot een verbeten bestrijder van het communisme.

Paul de Groot (1899-1986), hier bij de herdenking van dertig jaar USSR in de RAI in Amsterdam, is aanvankelijk diamantbewerker. In 1930 treedt hij toe tot het partijbestuur van de CPN, de partij waar hij bijna vijftig jaar lang in verschillende functies een leidende rol zal vervullen. In 1938 benoemt hij zich zelf tot hoofdredacteur van

het *Volksdagblad*. Na de bevrijding wordt hij voorzitter van de Tweede Kamerfractie van de CPN en blijft aan tot 1966. Hij is een overtuigd stalinist, door partijgenoten gevreesd, bewonderd en soms beide. In de Kamer is hij onopvallend en bemoeit zich amper met andersdenkenden. Na zijn aftreden als partijvoorzitter in 1967 wordt hij benoemd tot erelid voor het leven, maar na het zoveelste partijconflict wordt dat lidmaatschap hem de facto in 1978 ontnomen.

Willem Drees (1886-1988) is de naoorlogse politicus onder wie zich zowel de wederopbouw als de dekolonisatie voltrekt. 'Vadertje Drees', populair vanwege zijn leiderschap en soberheid, is ook pragmaticus, getuige zijn uitspraak: "niet alles kan en zeker niet alles tegelijk." Van Amsterdamse bankbediende en stenograaf wordt

hij wethouder voor de SDAP in Den Haag en uiteindelijk premier. In 1947 brengt hij als minister van Sociale Zaken de Noodwet Ouderdomsvoorziening tot stand. Gedurende tien jaar is hij premier van brede coalities met de PvdA en de KVP als kern. Over zijn zuinigheid bestaan verscheidene anekdotes, zoals die waarbij mevrouw Drees een gezelschap van Amerikaanse inspecteurs vanwege de naoorlogse Marshall-hulp zou hebben getrakteerd op mariakaakjes, waardoor de gasten overtuigd raakten van het zuinige financieel beleid van Nederland.

Hij is vooral bekend van het 'tientje van Lieftinck', dat na de oorlog aan ieder werd uitgekeerd in het kader van de geldzuivering. Pieter Lieftinck (1902-1989), zoon uit christelijk-historisch georiënteerd predikantengezin, wordt in 1946 in de lijn van de 'doorbraakgedachte' PvdA-lid. Als minister van Financiën in het kabinet-

Schermerhorn/Drees en vier daarop volgende kabinetten geeft hij strakke leiding aan het financieel-economisch herstel en maakt met een drastische geldzuivering een einde aan de ontwrichting van de staatsfinanciën. Geroemd als 'de kei van de Kneuterdijk' en gehoond als 'de grootste boef van Nederland', heeft hij weinig vrienden. Een voorbijganger, door Lieftinck om een dubbeltje gevraagd om 'een vriend te bellen', zou geantwoord hebben: "Neemt u er maar twee, dan kunt u ze allemáál bellen."

Jonkheer Marinus van der Goes van Naters (1900-2005) wordt in de jaren '30 lid van de SDAP en dankt daaraan zijn bijnaam 'de rode jonker'. Als naoorlogse fractievoorzitter van de SDAP is Van der Goes voorstander van annexatie van Duits grondgebied. Over de kwestie Indonesië komt hij in conflict met Drees, evenals over Nieuw-Guinea, waarover hij met Indonesië wil onderhandelen. Hij verliest de machtsstrijd en moet aftreden als fractievoorzitter. Van der Goes Naters ervaart achteraf het werken met Drees, die veel regeringszaken geheim hield, als zeer moeilijk. Zelf opereert hij als fractievoorzitter veelal alleen en vindt het naderhand begrijpelijk dat velen daarover vallen. Hij is één van eerste politici die zich druk maakt om het milieu.

Evert Vermeer (1900-1960) reikt de 'Evert Vermeerbeker' uit aan voetbal-
vereniging Naarden. Deze zoon van een politieagent en een wasvrouw kan na
terugkeer uit militaire dienst in de jaren '30 moeilijk werk vinden. Hier liggen dan ook
de wortels van zijn socialisme en toetreding tot de SDAP, waar hij zich in 1934 inzet
voor het (anticommunistisch en antifascistisch) Bureau voor Actie en Propaganda. In
1939 stapt hij over naar het SDAP-bestuur. Tijdens de oorlog schrijft hij als verzetsman
te Naarden brochures onder de naam E. Fuut (een verrassend op- en onderduikende
vogel). In de jaren 1955-1960 is Vermeer partijvoorzitter. In 1967 werd de Evert
Vermeerstichting opgericht, een stichting die zich richt op internationale solidariteit
en optreedt als intermediair tussen de politiek en talloze maatschappelijke organisaties.

André van der Louw (1933-2005), met onafscheidelijke pijp en kenmerkende snor, is aanvankelijk redacteur van muziek- en jongerentijdschriften als *Hitweek* en *Aloha*. In de jaren '60 is hij voorman van Nieuw Links en auteur van *Tien over Rood*. Na het PvdA-voorzitterschap volgt een omstreden benoeming tot burgemeester van Rotterdam, waar hij sympathie bij zowel de 'gewone man' als de ondernemers ver-

werft vanwege de stadsvernieuwing van oude wijken. De 'kroonprins van Den Uyl' wordt in 1981 minister van Cultuur, Recreatie en Maatschappelijk werk (CRM) in het tweede kabinet-van Agt. Niet lang daarna wordt hij voorzitter van het Openbaar Lichaam Rijnmond en na de mislukte vorming van een Rijnmondprovincie voorzitter van de NOS en de KNVB. Hier met Jan Nagel tijdens het congres van de PvdA.

Han Lammers (1931-2000) is voorman van Nieuw Links in de PvdA. Als zoon van de directeur van de Rijksvoorlichtingsdienst treedt hij na een niet-afgemaakte studie theologie in zijn vaders voetsporen en wordt journalist. Als redacteur bij het *Algemeen Dagblad* verslaat hij onder meer het proces-Eichmann in Jeruzalem. Vervolgens gaat hij naar *De Groene*. Hij speelt in het midden van de jaren '60 een belangrijke rol bij de vernieuwing van de PvdA en is de man achter de resolutie tegen een regeerakkoord met de KVP. Als wethouder van Stadsontwikkeling te Amsterdam medio jaren '70 laat hij onder veel protest woningen slopen in de Nieuwmarkt om de metro te kunnen aanleggen. Nadien is hij landdrost van de Flevopolders, burgemeester en eerste Commissaris van de Koningin in Flevoland. Hier staat hij achter de microfoons tijdens een PvdA-congres.

André Kloos (1922-1989) beleeft een zorgeloze jeugd in een Amsterdams middenklasse-gezin met een maatschappelijk betrokken vader. Na de HBS en een lerarenopleiding maakt hij carrière bij het NVV, waarvan hij in 1965 voorzitter wordt. Hij combineert die functie met het Eerste Kamerlidmaatschap voor de PvdA. Tijdens het kabinet-De Jong, leidt hij met succes massale vakbondsacties tegen de Loonwet, die de regering de mogelijkheid moet geven om in te kunnen grijpen in CAO-onderhandelingen. Kloos betitelt die in een redevoering als 'knevelwet'. Vanwege zijn populariteit is hij even in beeld als PvdA-lijsttrekker. Na zijn vertrek uit de vakbond, in 1971, wordt hij voorzitter van de VARA. Hier presenteert hij zijn boek *Het achterste van de tong* in het Haagse Nieuwspoort.

Geboren in een nest van socialistische herenboeren groeit Sicco Mansholt (1908-1995) uit tot Europees politicus van wereldformaat. Hij staat aan de basis van de Europese Gemeenschap en het gemeenschappelijk politieke landbouwbeleid. Uiteindelijk streeft hij de politieke eenwording van Europa na en krijgt daarvoor de bijnaam 'Mister Europe'. Zijn levensgeschiedenis omvat vele aspecten van de twintigste

eeuw: via een verblijf als – mislukte – planter in Indië, als succesvolle pionierboer in de Wieringermeer en een rol in het Nederlands verzet tijdens de Tweede Wereldoorlog naar een carrière in de politiek. Mansholt wordt minister van Landbouw en later Europees Landbouwcommissaris. Aan het eind van zijn loopbaan raakt hij in de ban van het rapport van de Club van Rome, wordt voorvechter van een beter milieu en een betere positie van de ontwikkelingslanden.

Anne Vondeling (1916-1979) is na zijn studie te Wageningen landbouwkundig ingenieur bij de Provincie Friesland. Tijdens zijn Tweede Kamerlidmaatschap (1946-1958) voor de PvdA promoveert hij op *De Bedrijfsvergelijking in de Landbouw*. In laatstgenoemd jaar neemt hij de portefeuille Landbouw, Visserij en Voedselvoorziening over van Mansholt, in het derde kabinet-Drees. Nadien is hij buitengewoon

hoogleraar te Groningen, Kamerlid en fractievoorzitter. In de periode 1965-1966 verspeelt hij als minister van Financiën en vice-premier in het kabinet-Cals zijn populariteit. Als rechtlijnig, onafhankelijk en gerespecteerd Tweede Kamervoorzitter (1972-1979) is hij een krachtig pleitbezorger voor een Kamer die niet als 'lam', maar als 'leeuw' moest optreden. Vondeling is lid van het Europees Parlement als hij in 1979 omkomt bij een auto-ongeluk te Mechelen (België).

Jan Pronk (1940) is een bevlogen, emotioneel betrokken PvdA-politicus, behorend tot de linkervleugel, begaan met de armoede in de wereld. Als minister voor Ontwikkelingssamenwerking in het kabinet-Den Uyl is hij het mikpunt van behoudend Nederland vanwege zijn steun aan Afrikaanse en Cubaanse bevrijdingsbewegingen. Tijdens kabinetsvergaderingen valt hij regelmatig in slaap, mede vanwege slaaptekort door het vele reizen. Na het Kamerlidmaatschap en een functie bij de UNCTAD wordt hij in 1989 opnieuw minister van Ontwikkelingssamenwerking en in het tweede kabinet-Kok minister van Volkshuisvesting, Ruimtelijke Ordening en Milieubeheer (VROM). Als voorzitter van de Wereldmilieuconferentie oogst hij veel waardering. In 2001 wordt hij gepasseerd voor de post van Hoge Commissaris voor de Vluchtelingen. In 2007 verliest hij de strijd om het voorzitterschap van de PvdA.

De gewezen banketbakker Jan Schaefer (1940-1994) wordt in 1973 staatssecretaris van Volkshuisvesting en Ruimtelijke Ordening in het kabinet-Den Uyl. In die hoedanigheid slaat hij hier de eerste paal voor volkswoningen aan de Govert Flinckstraat in zijn geboorteplaats Amsterdam, waar hij later wethouder van Volkshuisvesting wordt. Schaefer, ooit lid van de CPN, gaat onconventioneel te werk, meestal gekleed in spijkerpak en stropdasloos. Men grapt dat hij 's avonds bij thuiskomst onmiddellijk gewone kleding aantrekt. Hij houdt van duidelijke taal, getuige het aan hem toegeschreven motto 'in gelul kun je niet wonen'. Na zijn terugkeer als Tweede Kamerlid in 1986 bemoeit hij zich vooral met het midden- en kleinbedrijf, totdat hij zich in 1990 wegens ziekte terugtrekt.

Max van der Stoel (1924), hier rechts naast Henry Kissinger, begint als staatssecretaris van Buitenlandse Zaken onder Joseph Luns (1965-1966). Een jaar later protesteert hij als Kamerlid krachtig tegen mensenrechtenschendingen door het Griekse kolonelsregime. Na een periode in het Europese Parlement zet hij zich als minister van Buitenlandse Zaken in het kabinet-Den Uyl in voor de ontspanning tussen oost en west. Als Kamerlid is hij doorgaans veel gematigder dan fractiegenoten en van Nieuw Links moet hij niet veel hebben. Na een kort ministerschap in het kabinet-Van Agt II (1981-1982), is hij VN-ambassadeur, staatsraad en Hoge Commissaris voor de Mensenrechten. In Griekenland geniet hij meer waardering dan in Nederland: in Athene is een straat naar hem genoemd en hij is eredoctor aan de universiteit aldaar.

Tijdens de bezetting wordt Marcus Bakker (1923), hier tijdens het Waarheid-festival, actief in de CPN. Sinds 1945 maakt hij carrière bij de *De Waarheid* en bij de CPN, waar hij uiteindelijk politiek leider wordt. Vanaf 1956 is hij Kamerlid, van 1963-1982 fractievoorzitter en hét gezicht van de CPN. Als fractievoorzitter groeit zijn

populariteit, vooral onder de 'gewone man'. Bij zijn scherpe betogen, krijgt hij vaak de lachers op zijn hand. Over een in zijn ogen falende staatssecretaris Brokx: "Nou zijn er veertien miljoen Nederlanders, en laten ze nou net déze tot staatssecretaris maken." Zijn verdediging van parlementaire rechten maakt hem een gerespecteerd Kamerlid. Tot ergernis van sommigen die een stalinist in hem blijven zien is een zaal in het nieuwe Kamergebouw naar hem vernoemd.

Bram Peper (1940), rechtsvoor tijdens een PvdA-congres in de RAI, is de zoon van een metaalbewerker. Van huis uit socioloog, wordt hij in 1982 op jonge leeftijd 'burgervader' van Rotterdam. Hij is populair bij een deel van de bevolking, maar krijgt ook nogal wat vijanden die zijn bestuurderschap te weinig open vinden. Tijdens zijn burgemeesterschap volgt een opzienbarend huwelijk met voormalig VVD-minister Neelie Kroes. Als minister van Binnenlandse Zaken in het tweede kabinet-Kok geeft Peper zijn functie op in verband met een affaire rond declaraties tijdens zijn burge-meesterschap. Later volgt rehabilitatie, omdat bij het accountantsonderzoek fouten zijn gemaakt. Peper was ook een verdienstelijk voetballer. Als semi-prof van zijn zeventiende tot zijn 23ste, bracht hij het nét niet tot het nationale amateur-elftal.

Hedy d'Ancona in een voor haar kenmerkende uitbundige en enthousiaste bui, tijdens een Rooie Vrouwen-bijeenkomst te Utrecht. Deze PvdA-politica en feministe produceert aanvankelijk vrouwenprogramma's bij de VARA. In 1974 wordt ze Eerste Kamerlid voor de PvdA. Ze krijgt bekendheid als oprichtster van Man-Vrouw-Maatschappij en als (hoofd)redactrice van het feministisch blad *Opzij*. Over vrouwenemancipatie schrijft ze een zestal boeken. In het tweede kabinet-Van Agt is zij als staatssecretaris van Sociale Zaken en Werkgelegenheid onder meer belast met emancipatie. In het kabinet-Lubbers III (1989-1994) komt zij als minister van Volksgezondheid, Welzijn en Cultuur met een deltaplan voor het cultuurbehoud. Vervolgens is zij nog lijsttrekker bij de Europese verkiezingen en enige jaren lid van het Europees Parlement.

De te Den Haag geboren Fred van der Spek (1923) is aanvankelijk natuur- en schei-kundeleraar. Als medeoprichter van de PSP zit hij van 1963 tot 1967 in de Eerste Kamer. Daarna wordt hij Tweede Kamerlid, waarvan hij vooral gebruik maakt om bui-tenparlementaire actie te ondersteunen. Van der Spek toont zich, mede dankzij zijn belezenheid, een geduchte tegenstander van ministers van Buitenlandse Zaken als Luns en Van der Klauw. Hij is fel tegen de Amerikaanse strijd in Zuidoost-Azië, het Portugees kolonialisme en Indonesische bezetting van Oost-Timor. Vanaf 1978 is hij fractievoorzitter. In 1986 komt hij in conflict met Andrée van Es over de partijkoers. Hij verlaat de partij en richt een concurrerende partij op, maar deze komt niet in de Tweede Kamer.

Gekoesterd als 'Ome Joop' of de verpersoonlijking van 'verfoeilijk socialisme': over de gedreven PvdA-ideoloog, politicus en econoom Joop den Uyl (1919-1987) bestaan uiteenlopende meningen. Hier is hij aanwezig bij de 'Verkiezingscaravaan' in Rijnmond. Komend vanuit de journalistiek wordt in hij in 1956 Tweede Kamerlid en in 1965 minister van Economische Zaken in het kabinet-Cals. Hij volgt in 1966 Vondeling op als partijleider en blijft tot 1986 het gezicht van de PvdA. Als premier van het meest linkse kabinet ooit krijgt hij te maken met de olieboycot, gijzelingsacties, de onafhankelijkheid van Suriname en de Lockheed-affaire. De grote verkiezingswinst van 1977 leidt niet tot regeringsmacht en zijn derde regeringsoptreden als minister van Sociale Zaken onder Van Agt stelt velen teleur. Zijn hartstocht voor het politieke bedrijf wordt vandaag de dag door iedereen geroemd.

Marcel van Dam (1938), hier telefonerend op het PvdA-partijbureau, maakt naam als VARA-ombudsman. Als staatssecretaris voor Volkshuisvesting in het kabinet-Den Uyl bevordert hij woningbouw voor jongeren en alleenstaanden, de 'Van Dam-eenheden'. Vervolgens is hij kort minister van Volkshuisvesting en Ruimtelijke Ordening in het kabinet-Van Agt II en is hij spraakmakend als vice-voorzitter van de Parlementaire Enquêtecommissie die de RSV onderzoekt. Hij is een gewiekst debater en zegt daarover: "Er zijn 999 trucs en ik ken ze allemaal." Ook introduceert hij nieuwe termen, zoals in 1983 'belubberen', tot ongenoegen van premier Lubbers, die hij misleiding van gewone mensen verwijt. Na zijn Kamerlidmaatschap wordt hij voorzitter van en tv-presentator bij de VARA, met succesvolle programma's als *De achterkant van het gelijk* en *Het Lagerhuis*.

NATIONAAL ARCHIEF I ANEFO I FOTO MARCEL ANTONISSE

Evenals Den Uyl komt Ed van Thijn (1934) voort uit de Wiardi Beckman Stichting. Hij is gemeenteraadslid te Amsterdam (1962-1971) waar hij later burgemeester wordt. Tijdens het kabinet-Den Uyl is hij fractieleider. In 1981 is hij formateur en vervolgens minister van Binnenlandse Zaken in het tweede kabinet-Van Agt. Na zijn ministerschap geniet hij populariteit als burgemeester door zijn optreden bij de Bijlmerramp en als pleitbezorger van tolerantie en bestrijder van discriminatie. In 1994 keert hij korte tijd terug bij Binnenlandse Zaken, maar moet voortijdig aftreden vanwege de IRT-affaire. Tijdens zijn Eerste Kamerlidmaatschap (1999-2007) speelt hij een prominente rol bij de verwerping van het voorstel om de burgemeester rechtstreeks te kiezen.

Op jonge leeftijd wordt Andrée van Es (1953) Kamerlid voor de PSP. Zij zet zich in voor rechten van minderjarigen, minderheden en vrouwen. Als politiek leider is zij voor samenwerking met de CPN en de PPR en komt daarover in 1986 in conflict met fractieleider Van der Spek. Hoewel enig PSP-fractielid, onderbreekt zij haar lidmaatschap vanwege zwangerschap en vertrekt uit de politiek. Zo wil zij de weg vrijmaken voor nieuwe mensen. Daarna is zij werkzaam bij de VPRO en de NOS, directeur van De Balie en voorzitter van GGz-Nederland. In 2001 helpt zij op verzoek van het kabinet Máxima Zorreguieta bij haar inburgering in de Nederlandse samenleving. Vanaf november 2007 is zij directeur-generaal bij het ministerie van Binnenlandse Zaken en Koninkrijksrelaties.

NATIONAAL ARCHIEF | ANEFO | FOTO ROB CROES

Annemarie Grewel (1935-1998), midden, maakt in de PvdA naam als voorzitter van partijcongressen. Haar grossieren in voorzitterschappen levert haar de bijnaam 'voorzitter van Nederland' op. Wanneer bijeenkomsten dreigen uit te lopen, weet zij met haar strengheid en humor de sprekers aan te manen hun verhaal af te maken of hun het woord te ontnemen. Deze Amsterdamse, dochter van de psychiater Frits Grewel, is na een studie pedagogiek dertig jaar wetenschappelijk medewerker aan de Universiteit van Amsterdam. Als lesbienne, joodse en feministe beschrijft ze zich zelf spottend als iemand met 'een driedubbele handicap'. Op het bestuurlijke vlak is ze actief in de Amsterdamse gemeenteraad en als Eerste Kamerlid. Ze is voorts bekend vanwege haar columns in *De Groene Amsterdammer*.

De onconventionele PvdA-politica Ien Dales werkt eerst bij Kerk en Wereld en daarna als directeur van de Rotterdamse Sociale Dienst. Als staatssecretaris in het kabinet-Den Uyl is Dales (1931-1994) verantwoordelijk voor fel bekritiseerde snoeiplannen in de Ziektewet. Na haar Kamerlidmaatschap wordt ze burgemeester van Nijmegen. De inwoners geven haar vanwege haar hekel aan overdadig vertoon de koosnaam 'Ma Flodder'. In de periode 1989-1994 brengt zij als minister van Binnen-

landse Zaken samen met minister van Justitie Hirsch Ballin de nieuwe Politiewet en de Anti-discriminatiewet tot stand. Haar optreden als doortastende bestuurder op hoofdlijnen leidt soms tot een moeizame relatie met de Kamer, omdat ze niet altijd wil ingaan op detailkritiek. Ook komt zij regelmatig in aanvaring met in haar ogen te opdringerige journalisten.

De eerste vrouwelijke voorzitter van de Tweede Kamer, Jeltje van Nieuwenhoven (1943), is afkomstig uit de Friese Stellingwerven, waar haar vader rotanbewerker en meubelmaker was. Als bibliothecaresse rijdt zij met een bibliobus door Friesland. Zij is vervolgens actief bij de Rooie Vrouwen en bibliothecaresse van de Wiardi Beckman Stichting. In 1981 wordt zij Tweede Kamerlid en ontpopt zich als een gedegen mediawoordvoerster en pleitbezorgster van vrouwenemancipatie. In 1998 wordt ze

Tweede Kamervoorzitter en verwerft daarbij door haar ongedwongen optreden grote populariteit. Na de verkiezingsnederlaag van 2002 wordt ze fractievoorzitter. Datzelfde jaar verslaat Wouter Bos haar tijdens een interne ledenraadpleging over het partijleiderschap. Twee jaar later verlaat zij de Kamer om gedeputeerde van Zuid-Holland te worden.

Acht jaar lang is Wim Kok (1938), die zich hier als lijsttrekker presenteert, premier van 'paarse' kabinetten' met daarin de tegenvoeters PvdA en VVD. De timmermanszoon uit Bergambacht is via NVV en FNV opgeklommen tot minister-president. In 1986 volgt hij Den Uyl op als partijleider en minister van Financiën in het derde kabinet-Lubbers. Het stringente ombuigingsbeleid zet hij voort onder zijn premierschap, wat leidt tot werkgelegenheidsgroei. Als premier krijgt hij te maken het debacle Srebrenica en de bijna-crisis rond het huwelijk van de kroonprins lost hij tactvol op. Met zijn ontslag in april 2002 neemt hij de verantwoordelijkheid voor de mislukte VN-missie van Nederlandse militairen in de enclave Srebrenica, waar 7000 mannen zijn weggevoerd en vermoord. Sinds 2003 is Kok minister van Staat.

De in Heerenveen geboren econoom Wim Duisenberg (1935-2005) wordt op betrekkelijk jonge leeftijd minister van Financiën in het kabinet-Den Uyl. Hij ontwikkelt een beleid waarbij de overheidsuitgaven worden beperkt (de zogenaamde '1 procent'- of Duisenberg-norm). Als realist moet hij progressieve wensen en een verantwoord financieel beleid zien te verenigen. Kort na zijn ministerschap stapt hij over naar het bankwezen (Rabobank) en wordt later president van de Nederlandsche Bank (1981) en van het Europees Monetair Instituut (1997-1998). Als president van de Europese Centrale Bank speelt hij een voorname rol bij de invoering van de gemeenschappelijke Europese munt. Op de foto toont hij de nieuw ontworpen biljetten van honderd gulden. Na zijn aftreden in 2003 heeft Duisenberg nog vele commissariaten en in 2005 bemiddelt hij tussen gedupeerde beleggers en Dexia.

Ella Vogelaar (1949) is sinds 2007 minister voor Wonen, Wijken en Integratie. In haar studietijd is zij CPN-lid. Nadien is zij voorzitter van de onderwijsbond van de FNV, lid van de Sociaal Economische Raad en bestuurslid van de Stichting van de Arbeid en bekleedt ze commissariaten bij uitzendbureau Start, het Rotterdams Havenbedrijf en Unilever. Hier laat zij zich door een taxichauffeuse voorlichten over het chauffeursberoep tijdens het 'vrouwenoffensief', een actie om vrouwen over te halen lid te worden van de FNV. In 2003 is Vogelaar als eerste vrouw president-commissaris van een beursgenoteerde onderneming. Als minister bezoekt zij veertig 'aandachtswijken' voor het project 'Van probleemwijk naar prachtwijk'. In het kader van het 'Deltaplan Inburgering' publiceert zij de integratienota Zorg dat je erbij hoort!, die burgers aanspreekt op gemeenschappelijke belangen en polarisatie een halt toeroept.

Wouter Bos (1963) op verkiezingstournee. Deze zoon van een directeur van een ontwikkelingsorganisatie in Nederlands-Indië, is vegetariër en supporter van Feyenoord. Sinds 2007 is hij minister van Financiën en vice-premier naast premier Balkenende. Na zijn studies politicologie en economie (beide rondde hij 'cum laude' af) werkte hij negen jaar voor Shell in Nederland en het buitenland. Hij is in de periode 2000-2002 staatssecretaris van Financiën in het tweede kabinet-Kok. In 2000 brengt hij de notitie *Vergroening van het fiscale stelsel* uit, ter bevordering van energiebesparing en stimulering van gebruik van duurzame energiebronnen. Datzelfde jaar loodst hij samen met minister van Financiën Zalm wetsvoorstellen voor een nieuw belastingstelsel door de Eerste Kamer. Bos is sinds 2002 met wisselend succes politiek leider van de PvdA.

Femke Halsema (1966), hier achter de katheder bij een bijeenkomst van Groen-Links, studeerde criminologie in Utrecht. Tot het voorjaar van 1997 is zij lid van de PvdA en werkzaam bij de Wiardi Beckman Stichting. Daarna maakt zij de overstap naar GroenLinks, waarvoor ze sinds mei 1998 in de Tweede Kamer zit en sinds 2002 politiek leider is. In 2005 afficheert ze GroenLinks als de 'laatste linkse liberale partij' en roept op tot samenwerking met SP en PvdA. Het levert niet de gewenste samenwerking op, maar wel interne kritiek en de verkiezing tot 'Liberaal van het Jaar' door de jongerenorganisatie van de VVD. In de Kamer houdt zij zich behalve met het algemene politieke beleid vooral bezig met justitie, cultuur en Antilliaanse zaken.

   ANP | FOTO MARC VAN DER KORT

Zijn arbeidzame leven begint Jan Marijnissen (1952) als arbeider in een ijsfabriek, worstmaker en lasser. Daarnaast loopt een politieke carrière, beginnend in de gemeenteraad van Oss, als één der jongste raadsleden in Nederland, dan de Provinciale Staten van Brabant en tenslotte als Tweede Kamerlid en politiek leider van de SP. Deze partij groeit onder hem qua ledental tot de tweede partij van Nederland. In 1997 introduceert hij tijdens een Kamerdebat over het terugzenden van Iraanse vluchtelingen de term 'sorry-democratie', omdat de betrokken bewindslieden spijt betuigen over het onvolledig informeren van de Kamer, maar daaraan geen politieke consequenties verbinden. In 1994 neemt hij het initiatief voor een debat met de regering over de publieke moraal. Hier spreekt Marijnissen stakers bij het Rotterdamse sleepbedrijf Smit toe.

Ahmed Aboutaleb (1961), hier op het Binnenhof, is in de periode 2004-2007 wethouder voor de PvdA te Amsterdam. Voordien was hij journalist, hoofd voorlichting van de SER en directeur van de sector Maatschappelijke, Economische en Culturele Ontwikkeling bij de gemeente Amsterdam. In 2002 is hij kandidaat-minister voor de LPF, maar voelt geen verwantschap met die partij. Hij wordt in het kabinet-Balkenende IV staatssecretaris van Sociale Zaken en Werkgelegenheid en is onder meer belast met arbeidsmarktbeleid en armoedebestrijding. Vanwege zijn

afkomst – zijn vader was imam en kwam als gast-arbeider uit Marokko naar Nederland – is hij sterk betrokken bij de Marokkaanse gemeen-schap.

De in Maastricht geboren Lilianne Ploumen (1962) heeft naar eigen zeggen altijd 'voeling met de straat' gehad. Dit wordt wellicht bevestigd door het feit dat zij in het stadsdeel Amsterdam-Slotervaart is gaan wonen. Van GroenLinks stapt ze in 2003 over naar de PvdA. Sinds 6 oktober 2007 is zij voorzitter van de PvdA, na Jan Pronk te hebben verslagen in een verkiezing met zes telronden, waarbij zij uiteindelijk 54 procent van de stemmen krijgt. Opgeleid als historica, is Ploumen werkzaam geweest bij Plan International, dat zich bezighoudt met marktonderzoek, als coördinator bij Mama Cash, een organisatie voor fondsenwerving voor kleinschalige initiatieven van vrouwen en vervolgens bij Cordaid, een katholieke ontwikkelingsorganisatie. Bij deze laatste organisatie is zij van 2004 tot 2007 directeur. Ploumen geeft er de voorkeur aan zich vooral met interne partijzaken bezig te houden.

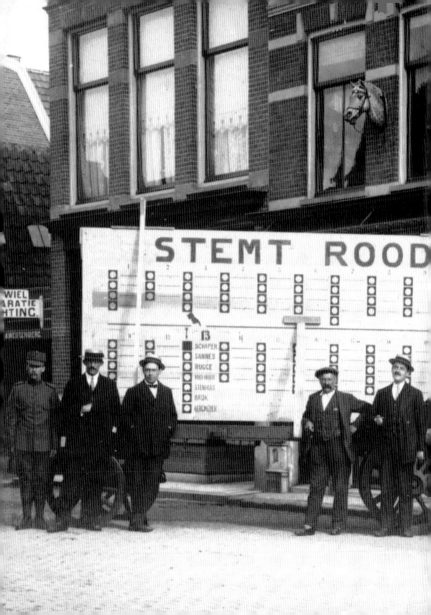

Colofon

Redactie en samenstelling
Frank de Jong
René Kok
Margreet Schrevel
Erik Somers

Teksten
Carel Brendel
Albert Buursma
Jannes Houkes
Sjaak van der Velden
Niels Wisman

Ontwerp en opmaak
Frank de Wit

Uitgave
Waanders Uitgevers, Zwolle

Druk
Waanders Drukkers, Zwolle

© 2008 Uitgeverij Waanders b.v., Zwolle /
Internationaal Instituut voor Sociale
Geschiedenis, Amsterdam

ISBN 978 90 400 8486 7
NUR 680

Informatie over Waanders Uitgevers:
www.waanders.nl

DREES 2

Bibliotheek Bijlmermeer
Bijlmerplein 93
1102 DA Amsterdam
Tel.: 020 - 697.99.16